La collection « Ado »
est dirigée par Michel Lavoie

L'auteure

Habitant la région de Sherbrooke, Amélie Bibeau rédige son journal intime depuis l'adolescence et garde dans ses tiroirs de nombreux textes et idées qui ne demandent qu'à prendre vie. Elle a été libraire pour la jeunesse pendant quatre ans, en plus de collaborer pendant plusieurs années à *La Tribune* de Sherbrooke en rédigeant de courtes critiques de romans pour adolescents. Aujourd'hui recherchiste en communications pour l'Agence du livre, elle publie ici sa première série.

Bibliographie

Lili-la-Lune 1. Papillon de nuit, Gatineau, Vents d'Ouest, 2010.

ado | drame

Amélie Bibeau

Lili-la-Lune

2. Fil de soi

Catalogage avant publication de Bibliothèque et Archives nationales du Québec et Bibliothèque et Archives Canada

Bibeau, Amélie, 1979-

Lili-la-Lune

(Ado ; 94. Drame)
Sommaire: 2. Fil de soi.
Pour les jeunes de 12 ans et plus.

ISBN 978-2-89537-211-0 (v. 2)

I. Titre. II. Titre: Fil de soi. III. Collection: Roman ado ; 94. IV. Collection: Roman ado. Drame.

PS8603.I23L54 2010 jC843'.6 C2010-941225-7
PS9603.I23L54 2010

Nous remercions le Conseil des Arts du Canada de l'aide accordée à notre programme de publication. Nous reconnaissons l'aide financière du gouvernement du Canada par l'entremise du Fonds du livre du Canada pour nos activités d'édition. Nous remercions également la Société de développement des entreprises culturelles, la Ville de Gatineau ainsi que le CLD Gatineau de leur appui.

Dépôt légal - Bibliothèque et Archives nationales du Québec, 2011
Bibliothèque et Archives Canada, 2011

Révision : Raymond Savard, Margot Boudreau Jeanneau
Correction d'épreuves : Renée Labat

Éditions Vents d'Ouest
109, rue Wright, bureau 202
Gatineau (Québec) J8X 2G7
Courriel : info@ventsdouest.ca
Site Internet : www.ventsdouest.ca

Diffusion Canada : PROLOGUE INC.
Téléphone : 450 434-0306
Télécopieur : 450 434-2627

Diffusion en France : Distribution du Nouveau Monde (DNM)
Téléphone : 01 43 54 49 02
Télécopieur : 01 43 54 39 15

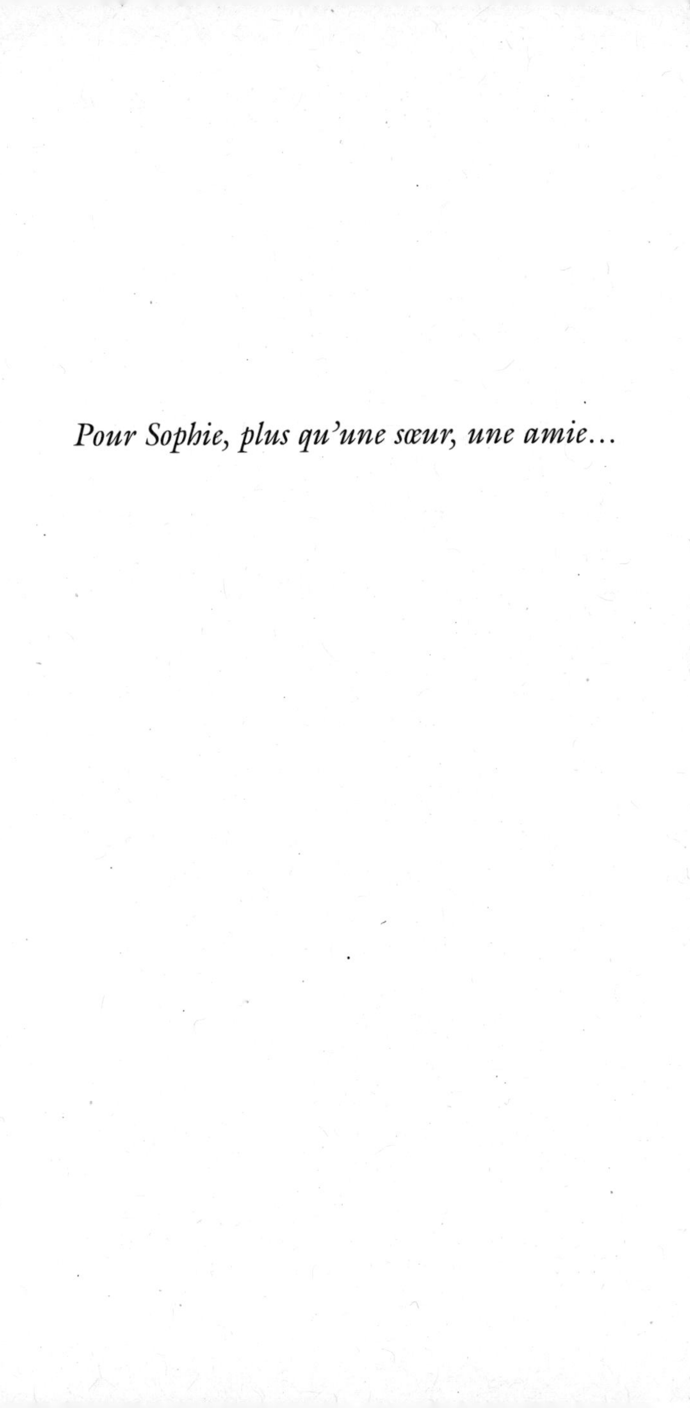

Pour Sophie, plus qu'une sœur, une amie…

Chapitre premier

Reprendre le fil

ÉVELYNE est en larmes. Encore. C'est la troisième fois en un mois qu'elle se querelle avec Pierrick. La troisième fois qu'elle me raconte la même histoire.

Elle trouve qu'il ne s'occupe pas assez d'elle, alors que lui, il la trouve trop possessive. Il faut avouer qu'Évelyne a une petite tendance manipulatrice. Miss Duchesse a besoin qu'on soit là pour elle. Tout le temps. Il faut toujours qu'on se plie à ses quatre volontés. C'est un peu de ma faute, je l'ai toujours suivie, où qu'elle aille et peu importe ce qu'elle faisait. Par contre, depuis notre querelle de cet hiver, elle s'est un peu calmée. Enfin, elle fait de gros efforts. Aussi, il faut dire qu'elle passe la plupart de son temps en compagnie de Pierrick.

Malgré ses larmes, je demeure impassible. Je sais très bien qu'ils vont finir par se réconcilier. Ensuite, elle va me laisser tomber, car leurs réconciliations sont toujours intenses.

P-A et moi, nous sommes moins fougueux. Ou plus constants. Nous ne nous disputons que rarement, mais toujours pour les mêmes raisons, nous aussi.

À la fin de l'année scolaire, nous avons découvert que nous étions incapables d'étudier ensemble. Nous nous obstinions sur tout. Je suis habituée à faire mes devoirs avec Évelyne. C'est le seul moment où je la domine, alors qu'avec P-A, qui a généralement le rôle d'aide aux devoirs avec Guillaume, je n'y arrive pas. Il veut toujours avoir raison, sinon il se met en colère.

Bon, je l'avoue : c'est plutôt moi qui boude. P-A a rarement tort et c'est ce qui est pire que tout !

L'autre cause de dispute est... Marc. P-A n'arrive pas à oublier ce qui s'est passé entre Marc et moi. Par le fait même, je n'y parviens pas moi non plus. Cela rend nos rapprochements plutôt difficiles.

– Lili-la-Lune ? Tu m'écoutes ?

– Bien oui.

Ma meilleure amie m'observe du coin de l'œil. Elle ne me croit pas.

– Tu me trouves chialeuse toi aussi, hein ?

– Bien non.

Je lui mens, mais elle n'est pas prête à entendre la vérité. Je n'aurais jamais cru qu'Évelyne pouvait être aussi fragile. Je ne comprends pas qu'elle puisse se mettre dans un état pareil à cause de Pierrick. Bien sûr, elle pourrait dire la même chose de P-A. Sauf que P-A, c'est différent. P-A EST différent, alors que Pierrick est tout ce qu'il y a de plus normal.

Évelyne sanglote de plus belle.

– Il ne m'aime plus. C'est fini, Lili, j'en suis sûre...

Ah ! Seigneur ! Je ne sais pas de quelle preuve elle a besoin pour comprendre que ce gars-là est fou d'elle ! On dirait qu'il faudrait qu'il lui offre des fleurs tous les jours ou… qu'il lui écrive des poèmes.

Je retiens un sourire. Elle ignore que les fameux poèmes dont il s'est servi pour la séduire ne sont pas de sa plume, mais de celle d'un certain Charles Baudelaire. Si elle le savait, elle serait folle de rage.

Heureusement, P-A n'a jamais utilisé de telles stratégies. Par contre, il faut avouer qu'il a agi comme le pire des crétins cet hiver lorsque j'étais en couple avec Marc. Il s'est comporté de façon ridicule avec ses sautes d'humeur incompréhensibles. Il nous en a fait voir de toutes les couleurs.

Soudain, Évelyne pousse un cri indigné qui me sort de ma rêverie.

– Tu ne m'écoutes pas ! Tu es la pire des meilleures amies !

– Évy, tu es…

J'allais lui dire qu'elle est insupportable et que j'en ai marre de ses crises de larmes quand Guillaume, son frère jumeau et meilleur ami de nos deux amoureux, entre dans la chambre.

– Je savais que vos histoires finiraient par causer un tas de problèmes !

Il soupire, puis se précipite sur sa sœur. À peine ai-je le temps de me détacher d'elle qu'il la serre dans ses bras.

Je me pince. Je rêve sûrement. Guillaume console Évelyne ?

Elle se laisse aller complètement et il lui fait des petits « chut ! » dans l'oreille. Je n'ai pas vu une scène comme celle-là depuis le primaire, quand je-ne-me-souviens-plus-qui lui avait volé sa collection de gommes à effacer.

– Tu es ridicule, Évy. Potvin t'aime. Pourquoi tu te mets dans un état pareil ?

– Non, il... il...

Guillaume la secoue par les épaules.

– Je viens tout juste de lui parler au téléphone. Il ne sait plus comment agir avec toi. Bien que je sois ton jumeau, je ne le sais pas moi non plus.

Bon, Guillaume-le-psychologue qui refait surface.

C'est lui qui m'avait sermonnée cet hiver en me faisant comprendre que mes amis n'étaient pas responsables du mal que Marc m'avait fait subir.

Évelyne proteste, mais Guillaume continue son discours sur le fait qu'elle dépend trop de Pierrick (vrai !), qu'elle avait une vie avant lui (vrai !) et qu'elle devrait être plus indépendante (absolument et totalement vrai !).

Guillaume essuie les larmes d'Évelyne, qui s'est enfin calmée.

– Prends Lili et P-A, par exemple. Ils ne sont pas tout le temps ensemble et P-A l'aime, non ?

Évelyne secoue la tête.

– C'est évident.

Guillaume a soudain un sourire moqueur et il me regarde du coin de l'œil.

– On ne sait pas si Lili l'aime, par contre.

Je le frappe sur le bras pour protester et Évelyne éclate de rire. Enfin.

– C'est vrai, Lili, tu n'as jamais pleuré à cause de lui.

Oh ! Elle ne se rend pas compte à quel point elle a tort. Je n'ai jamais pleuré devant eux. Les jumeaux m'observent, l'air de penser que je devrais fondre en larmes pour leur prouver que j'aime P-A.

Je lève les bras en signe de reddition.

– D'accord, vous voulez des larmes ? Je vais vous en faire des larmes, moi.

Je me frappe la tête contre le mur.

– Aïe !

Je me frotte le front à deux mains. Des larmes piquent mes yeux, mais ce n'est pas suffisant pour les faire couler. Je grogne, puis, en désespoir de cause, je me mets à faire de faux bruits de sanglots, les mains sur le visage.

Guillaume me pousse du coude.

– Tu es complètement folle, Lili !

Je risque un regard à travers mes doigts.

– Quoi ? Vous vouliez des larmes, non ?

Évelyne me fixe de ses yeux bleus bouffis.

– Ce ne sont pas de vraies larmes.

Je joue l'offusquée. Je me tourne vers Guillaume en lui désignant l'un de mes yeux.

– Ce sont de vraies larmes, non ?

Guillaume s'approche et observe mon œil avec une loupe imaginaire pendant un instant, puis il secoue la tête vigoureusement. Il prend un accent anglais.

– Il n'y a pas de doute possible, Sherlock, Lili pleure.

Cette fois-ci, elle rit de bon cœur.

Guillaume semble soulagé. Je me sens libérée d'un poids. Il vient de me sauver la vie. Je ne sais pas combien de temps aurait duré sa crise cette fois-ci, mais la dernière fois, elle a pleuré pendant trois jours. Même à l'école. Je n'en pouvais plus !

Guillaume prend le téléphone sans fil sur le bureau d'Évelyne et il le lui remet.

– Maintenant, tu vas l'appeler et vous allez vous expliquer. Ensuite, tu vas sortir avec Lili pour te changer les idées.

Sûrement pas. S'ils se réconcilient, ces deux-là, je n'existerai plus pour Évelyne.

Mon amie fixe le téléphone, puis elle lève la tête vers son frère.

– Il m'aime réellement ?

– Oui, il t'aime. Je ne sais pas ce qu'il pourrait faire de plus pour que tu le comprennes enfin.

J'ai soudain une vision et j'éclate de rire.

– Il pourrait louer un avion et écrire ton nom sur une banderole.

Guillaume, en pouffant, poursuit sur la même lancée :

– Ou t'inviter à une partie de hockey et faire écrire sur l'écran géant « Je t'aime Évy » !

– Ou te faire une demande spéciale méga quétaine à la radio en disant que c'est pour la femme de sa vie.

– Ou écrire sur son profil de Facebook « Je t'aime mon petit minou en sucre ! »

– Ou…

Évelyne roule les yeux et coupe notre élan.

– Ça va, j'ai compris !

Elle soupire. Pourtant, rien n'est plus drôle que d'imaginer Pierrick, si fier et orgueilleux, exécuter un truc du genre.

P-A m'invente parfois des blagues de ce type, car je déteste toutes ces effusions d'émotions, que je juge exagérées. Il m'appelle son « Oiseau des îles » pour se moquer de moi.

Tant qu'il ne m'appelle pas « ma puce ». Un frisson me parcourt l'échine. Marc m'affublait de ce surnom ridicule. Et il était sérieux !

Heureusement, Évelyne me tire de ce souvenir pénible.

– Laissez-moi, je vais lui téléphoner.

Je prends Guillaume par le bras et nous sortons de la chambre. Une fois la porte fermée, nous nous tapons dans les mains.

– Beau travail, Lili ! On forme vraiment une super équipe !

– Tu m'as sauvé la vie, Guillaume, merci ! Je ne savais plus quoi lui dire.

– Moi, j'en ai assez d'entendre Potvin me parler de ma sœur ! Au moins, P-A n'a pas trop changé. On croirait presque que vous n'êtes pas des amoureux.

Mon cœur s'arrête. Que sous-entend-il par là ? Que nous ne sommes pas assez affectueux ? Ou trop indépendants ?

Guillaume ne remarque pas mon air abattu et poursuit :

– Quand on sort en groupe, vous continuez à parler aux autres. Vous n'êtes pas toujours en train de vous lécher, même que c'est rare que vous vous embrassiez devant les gens. Personne ne pourrait deviner que vous êtes un couple. Vous ne vous touchez jamais !

Non, mais pour qui se prend-il ? Ce n'est pas de ses affaires !

– Tu n'es pas toujours avec nous, Guillaume Vachon !

Il n'a aucune idée de ce qui se passe entre P-A et moi. Je n'ai jamais aimé m'afficher en public et P-A non plus. C'est justement l'une des raisons pour laquelle nous nous entendons aussi bien.

Puis quoi, il n'y a pas que ÇA !

Guillaume secoue la tête.

– Ah ! Oui, j'avais oublié : vous vous tenez la main quand vous lisez.

– Oui, justement ! Puis on se donne des becs sur les joues quand on change de chapitre.

Je suis ironique et sèche, mais il rigole quand même.

– Je l'ai toujours dit, deux intellectuels ensemble, ça ne fonctionne pas.

Je croise les bras et lui lance mon regard le plus dur. J'en ai plus qu'assez qu'il répète cette phrase sans arrêt. P-A pète les plombs chaque fois. Depuis, Guillaume ne me la répète plus qu'à moi !

– Tu n'es qu'un jaloux, Guillaume Vachon.

Ma voix est sèche.

– Jaloux ! Moi ?

Il baisse les yeux, mal à l'aise. Il a sans doute compris qu'il est allé trop loin.

– Oui, tu es jaloux ! Tu aimerais être amoureux, toi aussi.

Il grogne en s'assoyant sur le divan. Il cherche la télécommande de la télévision. Je ne le lâche pas.

– Mais ce n'est pas en flirtant avec la terre entière que tu vas y arriver.

Il trouve enfin la télécommande et allume la télé. Je lui envoie ma dernière réplique assassine.

– Tu devrais être amoureux de Sandrine, mais tu as peur de l'aimer et tu es ridicule.

Sandrine l'aime beaucoup, mais Guillaume ne veut pas entendre parler d'elle. Il la drague sans arrêt, mais dès que leur relation devient sérieuse, il la laisse tomber, embrasse une autre fille ou agit d'une autre façon tout aussi stupide. Quel idiot il peut être parfois !

Il fait un geste vague de la main.

– Ça va, Lili. J'ai compris. Vis ta vie et je vais vivre la mienne.

Je m'assois à côté de lui et fixe l'écran sur lequel une grosse femme envoie promener son mari.

– Il était temps !

Chapitre II

Ne te dénude pas d'un fil

La sonnerie du téléphone retentit. Je me précipite vers l'appareil, mais Anaïs, ma sœur de douze ans, saisit le combiné avant moi. Quelle plaie ! Elle sait bien que l'appel est pour moi. C'est P-A. Il est dix-huit heures pile et il me téléphone toujours à cette heure-là, puisque son père ne l'autorise pas à m'appeler avant.

– Non, elle n'est pas là.

– Ani, tu n'es pas drôle.

Ma sœur me tire la langue. J'essaie de saisir le combiné, mais elle le tient à bout de bras. J'entends P-A protester à l'autre bout du fil. Anaïs me fait le même coup tous les soirs. Je m'assois sur la chaise berceuse en boudant. Il ne sert à rien de protester. La meilleure stratégie, c'est de l'ignorer, mais je n'y arrive pas.

– Ani, donne-moi le téléphone !

D'ordinaire, ma mère met un terme à ce jeu en riant, ce qui est vraiment insultant, sauf qu'aujourd'hui elle est absente. Elle mange au restaurant avec la mère d'Évelyne. Elles sont amies, elles aussi. C'est plutôt ennuyeux, parce qu'elles se racontent nos vies. Moi, je ne raconte pas la vie de ma mère à Évelyne. Nous avons des choses bien plus intéressantes à nous dire.

– D'accord. Je vais lui faire le message. Au revoir, P-A.

Ma sœur dépose le téléphone en me narguant. Elle m'énerve tellement. J'attends qu'elle parle, mais elle se dirige plutôt vers la cuisine en rigolant. Je la poursuis, mais elle garde le silence.

– Et ce message, tu me le fais ou pas ?

Anaïs ricane en se versant un verre de jus.

– Uniquement si tu me prêtes ton chandail mauve.

– Jamais de la vie !

– Alors oublie ça, je ne te dirai rien.

Je me précipite pour téléphoner à P-A, mais ma sœur me bouscule, en échappant la moitié de son jus par terre, et prend le téléphone avant moi. Je me lance sur l'autre appareil, mais il est trop tard : ma sœur a déjà composé le numéro d'Océane, sa meilleure amie. Je demeure en ligne, bien décidée à ne pas lâcher mon bout. Lorsque la voix criarde de la peste numéro deux se fait entendre, je commence à appuyer sur les touches du téléphone. Ma sœur se met à hurler.

– Lili, arrête !

Je cesse mon concert cacophonique et j'exige, dans le combiné, qu'elle me transmette le message. Ma sœur ne me répond pas, mais dit seulement à son amie qu'elle va la rappeler quand sa folle de sœur aura retrouvé ses esprits. J'appuie à nouveau sur les touches, mais il n'y a plus personne au bout du fil.

J'en profite pour téléphoner à P-A. Son père m'annonce qu'il vient tout juste de partir. Zut !

Je l'ai raté de peu. C'était probablement ce que ma sœur espérait.

Je la rejoins dans la cuisine en rageant et je mets le pied dans quelque chose d'humide et de collant : du jus !

– Ani, ramasse ton dégât !

Plutôt que de m'écouter comme une sage fille, elle incline son verre avec un air de provocation et menace de laisser couler une partie de son contenu sur le plancher.

– Je veux que tu me prêtes ton chandail mauve et que tu nous invites, Océane et moi, à la fête de Potvin.

Vendredi, nous fêtons le quinzième anniversaire de Pierrick. Il fait un feu de camp chez lui. Presque tous les élèves de l'école sont invités, mais pas les petites filles de sixième année. Ma sœur n'entrera au secondaire que dans quelques mois.

– C'est hors de question ! De toute façon, tu dois m'écouter. Je te garde et j'ai pleine autorité sur toi.

Je suis hors de moi, mais elle s'en fiche et verse le contenu de son verre de jus sur le plancher en haussant les épaules. Je me lance sur elle et la jette par terre. Pendant un moment, son rire se transforme en un cri de surprise. Alors que je la tiens fermement contre le plancher de céramique, elle reprend son ton arrogant.

– Je vais dire à maman que tu me bats.

– Tu ne m'écoutes pas, je n'ai pas le choix. Maintenant tu vas essuyer le jus, même si je dois t'obliger à le lécher.

Elle se met à crier en me lançant des noms méchants. On frappe à la porte. Ma sœur m'avoue enfin :

– P-A te fait dire qu'il t'aime et qu'il s'en vient.

Pourquoi tente-t-elle toujours de me mettre en colère ? Depuis quelque temps, elle est insupportable. Respire, Coralie, respire. Je la laisse se morfondre sur le plancher et j'ouvre la porte à un P-A rayonnant. Ses cheveux ondulent dans tous les sens sur son visage basané par le soleil de juillet. J'oublie mes soucis et, surtout, ma sœur couchée en petite boule sur le plancher, qui se lamente comme si elle avait réellement été battue. Il me prend dans ses bras en m'embrassant, puis il détourne les yeux vers cette petite idiote d'Anaïs.

– Ani ! Qu'est-ce qui se passe ?

Il est tellement ahuri que je me retourne pour observer ma sœur. Ses cheveux noirs sont en bataille et son visage angélique est barbouillé de larmes et de jus. Elle se plaint.

– Lili m'a obligée à lécher le jus que j'ai échappé sur le plancher par accident.

Par accident ? Quelle menteuse ! De plus, je ne l'ai pas obligée à lécher le jus, je l'ai menacée de le faire.

P-A nous observe à tour de rôle. Il prend un chiffon sur le comptoir et essuie l'« accident » de ma sœur en lui disant d'aller se laver le visage, car elle fait peur. Il se tourne vers moi.

– Dis-moi qu'elle blague, Lili. Tu perds parfois les pédales avec ta sœur, mais franchement, Ani n'est pas un chien !

– Ani est pire qu'un chien !

Je lui arrache le chiffon des mains, le passe sous le robinet et nettoie l'autre « accident », près de la table. Je raconte à P-A ce qui s'est réellement passé et il se détend.

– Pourquoi tu ne lui prêtes pas ton chandail mauve ? Tu ne le portes jamais.

Il a raison. Ce chandail est trop petit pour moi depuis quelques semaines. Depuis que j'ai eu mes règles, mes seins ont poussé à une vitesse impressionnante et je suis passée de mes bonnets A ridiculement vides à du B bien rempli. J'ai déjà dû donner tous mes pantalons à ma sœur, parce que les hanches ont suivi et j'ai maintenant les fesses les plus rondes du monde. Les formes de mes amies, qui me faisaient tant envie l'an dernier, ne me plaisent pas tellement sur mon propre corps. Je m'étais familiarisée avec les coins anguleux et les os saillants de celui-ci. Même si P-A et mes amies me disent « bien roulée », je ne m'habitue pas à ces formes de femme. Je me sens grosse.

– Je déteste son chantage. Je lui donnerais bien mon chandail et je me fiche qu'elle vienne à la fête de Potvin, mais elle est insupportable ces derniers temps.

Anaïs choisit ce moment pour réapparaître.

– C'est vrai ? Si je suis gentille, tu me donnes ton chandail et je peux aller à la fête avec vous ?

– Minute ! Il faut que tu sois vraiment gentille. Si tu promets de ne plus jamais me voler le téléphone, tu viendras à la fête avec Océane.

– Super ! Je peux l'inviter à écouter un film avec moi ? Si tu acceptes, je ne dirai pas à maman que tu as invité P-A.

P-A me lance un clin d'œil plein de sous-entendus. Généralement, lorsque je garde ma sœur, il ne fait que passer me donner un bisou, puisque ma mère refuse qu'il vienne me voir lorsqu'elle n'est pas à la maison. Ma sœur n'a pas le droit d'inviter d'amis elle non plus.

Je ne refuserai jamais une telle offre.

– Oui, mais je vous interdis de mettre les pieds dans le sous-sol. Et vous vous tenez tranquille !

Folle de joie, Anaïs s'élance vers le téléphone pour appeler son amie.

– Oh ! Vous allez faire l'amour ? Je ne le dirai pas à maman ! Je promets. Allô ! Océane... Non, je parlais à ma sœur. Oui, elle va faire l'amour avec son copain, mais on ne devra pas les espionner. Non, si on se tient tranquille, elle nous invitera à la fête de vendredi et elle va me donner son chandail mauve. Oui, celui qui est ultra-sexy...

Bon, il ne fallait pas trop en attendre de ma sœur.

P-A et moi n'allons pas faire l'amour. Nous en avons parlé quelquefois, surtout depuis qu'Évelyne et Pierrick ont couché ensemble, sauf qu'en parler envenime la situation. Nous finissons toujours par nous quereller au sujet de Marc.

Parfois, P-A risque une main sous mon chandail, mais je la retire presque aussitôt. La plupart du temps, il ne dit rien. Quelquefois, il boude. Il prend mon refus comme une insulte, comme si je le comparais à Marc.

La vérité, c'est que je me sens dégoûtante. Je ne veux pas qu'il touche à mon ventre qui a été souillé par Marc. Je sais que c'est un raisonnement étrange. Je prends ma douche régulièrement et il ne reste aucune particule du sperme de Marc sur ma peau depuis longtemps. Toutefois, dès que P-A me touche, mon corps se contracte. On dirait qu'il y a une alarme qui s'active dans ma tête. « Danger ! »

Pourtant, dans mes rêves, j'aime que P-A me touche. Mais dans la vie réelle, j'ai l'impression de sentir mauvais, d'être grosse et repoussante dès qu'il pose une main sur mon ventre.

Je n'ai jamais parlé de cette répulsion à personne. Ni à P-A, ni à Évelyne, ni à Sandrine. Tout ce que je souhaite, c'est que mon dégoût s'estompe. Le temps arrange les choses, dit-on.

Évelyne me tend deux morceaux de tissu. Un bikini ? C'est une blague, j'espère.

– Il est devenu trop petit pour moi. Essaie-le.

Je ronchonne, refuse de le prendre, mais elle l'accroche sur mon épaule.

– Allez ! Tu as 15 ans, tu ne vas pas encore porter ton ridicule costume de bain de natation pour aller à la piscine municipale. Il écrase toutes tes jolies formes.

Justement. C'est pour cela que je me sens bien dans ce « ridicule » costume de bain. Et puis quoi ? Nous allons nager, pas jouer aux sirènes. Après les minis t-shirt, le maquillage, la coiffure, voilà que mon amie veut que je porte un costume de bain sexy.

Elle me pousse vers la salle de bain.

– Lili, essaie-le. Tu n'es pas obligée de le porter s'il ne te va pas.

Je lui lance un regard noir et m'enferme dans la salle de bain. Le bikini est joli. Turquoise avec de grosses fleurs bleu foncé. Zut ! Il convient à ma taille.

Mon amie hurle de l'autre côté de la porte.

– Et puis ?

Je lui ouvre. Elle s'exclame :

– Lili ! Tu es superbe ! J'en étais certaine !

Je ne me sens pas à mon avantage. Mon ventre est drôlement en évidence. Puis, il y a un bourrelet sur ma hanche. Non, vraiment. Je n'oserai jamais me montrer ainsi exposée devant les gars.

C'est fou comme j'ai grossi !

Mon amie me lance mes vêtements en me sommant de les mettre par-dessus le bikini.

– Évy, tu avais dit…

– Tut tut tut ! Il est parfait. Allez, on y va. Les autres sont sans doute déjà arrivés à la piscine.

Je la déteste. Parfois, je lui arracherais les yeux et je les donnerais à manger au… au chien de mon voisin !

En chemin vers la piscine, je n'arrête pas de penser à la réaction des gars quand ils vont me voir… presque nue. Évelyne et Léa ont toujours porté des bikinis. Elles peuvent se le permettre, puisqu'elles sont belles. Puis, il y aura Sandrine et son corps de déesse. Je ne veux pas m'exhiber devant elles. Je suis le *pichou* de la bande. Par conséquent, je devrais avoir le droit de ne pas m'afficher en public. Je voudrais disparaître et me fondre dans la masse, mais Évelyne prend un malin plaisir à me faire ressortir du lot avec elle. Quelle idée d'être sa meilleure amie !

Nous rejoignons nos amis et Évelyne enlève sa robe soleil en un mouvement gracieux. Je m'assois à côté de P-A qui joue avec le Ipad de Guillaume. Sandrine se fait bronzer plus loin. Ce qu'elle peut être belle ! J'en meurs de jalousie chaque fois que je la vois.

P-A me prend la main et m'embrasse.

– Tu veux te baigner ?

Je refuse d'un signe de tête. Il retourne à son jeu. Je ne bouge pas. Évelyne rejoint Pierrick, Léa et Francis dans la piscine. Ils ont l'air de s'amuser drôlement. Sandrine se lève et passe tout près de moi en marchant de son pas félin. Elle remonte ses boucles blondes en soupirant qu'elle a chaud, s'assied sur le bord de la piscine et allonge ses jambes de gazelle pour se tremper les pieds.

Guillaume ne met pas plus d'une seconde à la rejoindre. Il l'observe sans gêne avant de se retourner vers moi, rouge et confus.

– C'est vrai qu'il fait chaud. Tu ne te mets pas en maillot, Lili ?

Sandrine me lance un petit sourire vainqueur. J'aimerais avoir le quart de son assurance et la moitié de sa beauté. Elle me jette un regard pardessus ses lunettes fumées.

– C'est vrai, Lili. Tu n'as pas chaud ?

– Non.

Malheureusement, Évelyne a entendu la question de Sandrine et ma réponse.

– Allez Lili. Montre-leur le bikini que je t'ai donné.

P-A abandonne son jeu.

– Tu portes un bikini ? Wow !

Zut ! Tous les yeux sont fixés sur moi. Je n'ai pas le choix. Je sors ma serviette de mon sac. Je la noue autour de ma poitrine avant de retirer mon short.

Guillaume me hue.

– Franchement ! Ne te cache pas.

Je retire la serviette en pestant contre lui. Je m'approche de la piscine, je retire mon t-shirt, le lance sur ma chaise et saute à l'eau en prenant soin d'éclabousser Guillaume. Ce dernier râle encore lorsque je sors ma tête de sous l'eau.

– Oh ! Je n'ai rien vu. Tu as vu, toi, P-A ?

P-A ne répond pas. Il rigole. Guillaume lui lance un ballon de plage qui flottait près de lui.

– Oh ! On sait bien. Tu la vois nue, toi, le chanceux !

Les yeux de P-A deviennent noirs. Je me plonge la tête sous l'eau. Je ne veux pas entendre sa réplique ni voir sa colère et sa déception. P-A ne m'a même jamais vue en soutien-gorge. Pour Guillaume, il s'agit sans doute d'un crime digne de la peine capitale, mais P-A est patient. Sans doute trop, même. Je suis indigne de lui. J'ai parfois si peur qu'il se lasse de moi.

Je sens une présence tout près. Je sors de l'eau et j'aperçois Guillaume, à quelques pas, qui m'observe sous l'eau. Ce qu'il peut être énervant! P-A est dans la piscine et il s'approche dangereusement avec un air que je n'aime pas. Il force Guillaume à sortir de l'eau.

– Des fois, t'es vraiment un con!

Il le pousse. Guillaume proteste en se laissant flotter sur le dos.

– Ça va, le jaloux! J'avais oublié qu'on ne peut pas faire de blagues avec Lili. Désolée, Milady!

Tout en nageant, il fait mine de me saluer avec un chapeau. P-A soupire. Je mets ma main sur son épaule. Il se retourne vers moi et, sans réfléchir, je l'embrasse en me blottissant contre lui. Je sens son ventre contre le mien. Une main sur ma nuque et l'autre dans mon dos. Sur ma peau qu'il caresse doucement.

Le temps s'est-il arrêté? Je n'entends plus les enfants qui crient, ne vois plus mes amis ni ne sens l'odeur des saucisses à hot-dog qui cuisent un peu plus loin à la cantine. Il n'y a que cette main qui se faufile vers ma hanche. Qui atteint la courbe de mes fesses.

Oh! non! La panique m'envahit. J'étais si bien! Comment cette main si douce qui se promène dans le bas de mon dos peut-elle me faire peur? Je m'éloigne de lui en essayant de cacher mon malaise, mais ses yeux expriment tout son désarroi.

Il se laisse tomber sur le dos et s'enfonce dans l'eau. Je me dirige vers un couloir de nage et je fais quelques longueurs de crawl pour me défouler. Je les exécute plus lentement parce que je porte un bikini et que je ne voudrais pas en perdre un morceau. Satané bikini !

Je m'étais pourtant juré que jamais plus on ne me reprendrait à faire quelque chose contre mon gré. Évelyne ne m'a pas écoutée. Encore. Pourquoi tient-elle à ce que je m'exhibe de la sorte ? Je hais mon corps. Cela devrait suffire, non ? Une vraie amie devrait le comprendre.

Mon souffle est court. Il y a longtemps que je n'ai pas nagé. Je vais revenir plus souvent. Je vais peut-être perdre les quelques kilos que j'ai pris durant les derniers mois. Si seulement je pouvais être à moitié aussi belle que Sandrine.

Si j'étais belle, je pourrais me montrer comme mes amies. Je pourrais laisser P-A me toucher. Comme une fille normale.

Lorsque je sors de la piscine, je cache mon corps dans ma serviette, puis, une fois asséchée, je me rhabille.

En chemin, P-A me prend la main. Nous laissons les autres s'occuper de la conversation.

P-A ne parle pas. Je ne dis rien. Nous en parlerons plus tard. Peut-être.

Chapitre III

Perdre le fil

P-A AGIT comme s'il ne s'était rien passé. Il n'est peut-être rien arrivé, non plus. Parfois, j'ai l'impression que tous ces scénarios débiles ne se déroulent que dans ma tête.

De toute façon, nous ne nous voyons pas beaucoup puisqu'il est toujours en compagnie de Benjamin, son cousin qui fréquente une école de sportifs riches et surdoués. Chaque été, ce dernier passe deux semaines chez P-A. Un vrai pédant ! J'ignore pourquoi Pierrick l'a invité à sa fête, puisque personne ne l'aime. Il aurait pu retourner chez lui et jouer à la Wii, au Xbox, ou n'importe quel jeu vidéo, puisqu'il les possède tous. Il a mis quinze minutes à me faire l'inventaire de tous les jeux qu'il possède. D'un ennui mortel !

C'est la première fois qu'il se rabaisse à me parler. Il essaie même d'être gentil. Sans doute parce que je suis la copine de son cousin et qu'il n'a pas le choix. P-A le vénère. Son attitude m'énerve.

Sandrine sirote un verre de punch, seule dans son coin. Son visage, éclairé par la lueur du feu, a une mine triste. Je la rejoins. Elle montre un endroit vers le feu de camp où je distingue la silhouette de Guillaume, accompagnée de celles de deux filles. Il est très clair qu'il les drague toutes les deux. Sandrine soupire.

– Je pense que je dois l'oublier.

Parfois, mon ami me répugne.

– C'est un crétin. Tu vaux mieux que ça.

Elle hausse les épaules, mais ne dit rien.

Je ne comprends pas ce qu'elle lui trouve. D'accord, il est beau, mais il est idiot. Toujours à lancer des blagues de drague de mauvais goût. Peut-être que s'il laissait sortir son côté psychologue à cinq sous plus souvent, il pourrait être attachant, mais sans plus. Guillaume n'a aucune profondeur.

J'ai déjà eu cette opinion au sujet de P-A, mais avec le temps, j'ai découvert qu'il dissimule sa sensibilité en rigolant tout le temps. Dans le cas de Guillaume, c'est différent. Il fait craquer les filles, puis il les laisse tomber. Depuis plusieurs mois, il joue à un jeu exaspérant avec Sandrine. Est-ce qu'elle représente un trophée à ses yeux ?

Je déteste son petit jeu. J'aime bien Guillaume et je n'apprécie pas de le voir jouer au parfait salaud. Et Sandrine n'est pas seulement une très belle fille. Elle est sensationnelle ! N'importe quel gars intelligent se jetterait à ses pieds. Je n'y comprends rien.

Quand je me trouve à ses côtés, je me demande comment P-A arrive à me regarder de ses beaux yeux qui brillent et ne pas détourner le regard vers Sandrine qui est cent fois plus belle que moi.

Sandrine se dirige vers la table et se verse un nouveau verre de punch. Je tente de l'encourager.

– Ignore-le et amuse-toi.

– Facile à dire pour toi. P-A se roulerait dans la boue pour te faire plaisir.

– Oh ! Ça va ! Si tu as envie de passer la soirée à te morfondre, ne te gêne pas pour moi !

Je l'abandonne à ses tristes pensées. Je me dirige vers la maison, direction toilette. Cette fête est plutôt ennuyante. P-A qui bave sur son cousin vantard, Sandrine qui se morfond pour un pauvre idiot et Évelyne… mais où est Évelyne ?

Oh ! Je l'entends rire. Elle est dans la chambre de Pierrick. Je m'approche, puis je me rends compte juste avant d'ouvrir la porte qu'Évelyne ne rit pas. Non… elle gémit ! Seigneur ! Ils sont en train de faire l'amour ! Zut ! Je ne veux pas entendre ça !

Pourtant, je reste là, figée, la main toujours sur la poignée. Pierrick soupire et je l'entends lui dire qu'elle est belle et qu'elle est géniale.

Quelque chose se brise en moi. Je ne suis ni belle ni géniale. Je ne suis même pas capable de laisser P-A me toucher le ventre. Alors, faire l'amour ? Je ne le pourrai jamais. Jamais je ne gémirai comme Évelyne. Je ne connaîtrai pas ce plaisir qu'on décrit dans les livres et qu'on voit dans les films. Celui qu'Évelyne ressent en ce moment même.

Je déteste Marc. Il a tout détruit. P-A devra trouver une autre amoureuse. Il n'a pas à souffrir parce que je n'arrive pas à lui donner ce que toutes les autres filles pourraient lui offrir. Je devrais le quitter…

Je laisse mon amie à ses soupirs et me dirige vers la salle de toilette. J'y reste une bonne demi-heure et je pleure toutes les larmes de mon corps, jusqu'à ce qu'on frappe à la porte.

– Qui est là ? Es-tu malade ?

C'est Évelyne ! Il ne faut surtout pas qu'elle me voie dans cet état. Je ne veux pas lui raconter que je l'ai entendue faire l'amour !

Je passe mon visage sous l'eau pour débarbouiller mes yeux. Voilà, rien n'y paraît ou presque. Je n'aurai qu'à dire que je digère mal mon souper et elle n'y verra que du feu.

En me voyant, mon amie prend un air inquiet.

– Qu'est-ce qui se passe ?

– Oh ! Ça va mieux. Une indigestion, je pense.

Je sors et me joins à la foule autour du feu de camp. P-A se faufile jusqu'à moi. C'est bien la première fois que je n'ai pas envie de le voir. J'ai mal. Son visage illuminé par le feu, ses yeux presque noirs, ses cheveux en bataille… son t-shirt de Marvin le Martien. Il est tellement beau que ça me tue. Je me blottirais contre lui, lui caresserait les cheveux, le visage, les épaules, tout. Tout en lui m'attire. Je sens mon ventre se contracter agréablement à l'idée qu'il puisse m'embrasser et me toucher partout. Qu'il puisse en avoir envie, lui aussi.

Pourquoi je n'arrive pas à me laisser aller ?

Il me prend par la taille et me fait un bisou dans le cou.

– Je te cherchais, bel oiseau...

Malgré moi, je me contracte. Mon corps entier souffre de sa présence. Pourtant, je souffrirais encore plus de son absence. Il m'observe en fronçant les sourcils.

– Ça va ? Tu n'as pas l'air bien. Tu as vu Ani ?

– Non, je ne l'ai pas vue. Et ça va. Je crois que je digère mal quelque chose, c'est tout.

– Tu veux t'en aller ?

Je hoche la tête. Pas maintenant. Je ne veux pas partir. Je ne veux pas le laisser. Je ne suis pas prête encore. Je... À la fin de la soirée peut-être.

Si je bois suffisamment de punch, j'aurai peut-être le courage de rompre. Je vais remplir mon verre.

Oh ! Non ! Voilà Benjamin et... ma sœur pendue à son cou. QUOI ? Il rigole en la faisant tournoyer, et elle, la naïve, se presse contre lui.

Je ne peux pas la laisser faire. Elle n'a que douze ans et il en a seize. Il ne faudrait surtout pas que ce salaud lui fasse le même coup qu'on m'a fait. Personne ne touchera à ma petite sœur. Encore moins ce grand fendant de Benjamin Lepage, arrogant, prétentieux et superficiel !

Je me dirige vers eux.

– Ani ! Ne fais pas une folle de toi.

Ma sœur me rit au nez. Benjamin me sermonne.

– Allons, on s'amuse bien. Fais-en autant.

Je pointe un doigt menaçant vers lui.

– Toi, lâche ma sœur. Tu ne la toucheras pas, c'est clair !

Anaïs proteste tout en s'éloignant de Benjamin. Elle s'avance vers moi, en colère.

– C'est quoi ton problème ?

J'essaie de me contenir, mais c'est plus fort que moi. J'éclate.

– Il est trop vieux pour toi. Et tu es trop jeune tout court, si tu veux savoir. Vas jouer avec tes poupées, c'est plus de ton âge.

Insultée, ma sœur ouvre et ferme la bouche comme un poisson. Des larmes se pointent au coin de ses cils noirs. Son visage constellé de taches de rousseur s'est embelli durant les derniers mois. Elle est devenue très belle. Elle a de petits seins, mis en évidence par mon t-shirt mauve. Elle est mince comme je l'étais avant.

Naïve comme je l'étais...

Elle reste muette. Benjamin bout de rage.

– Ça va faire, la coincée ! On s'amuse, il n'y a aucun mal.

– Oh ! Peut-être qu'il n'y en a pas pour toi, mais pour elle, hein ? Une fois que tu l'auras salie, elle... elle...

Je sens deux bras m'envelopper.

– Lili, calme-toi.

Guillaume ?

Il essuie des larmes sur mes joues. Je pleure ?

Benjamin me pointe en fixant Guillaume.

– Elle est folle ?

P-A arrive en courant.

– Ben, laisse tomber, veux-tu.

Où est Anaïs ? Je n'en ai pas la moindre idée. Guillaume tient toujours ma main et mon amoureux se colle contre moi. Deux chevaliers prêts à me défendre contre vents et marées.

Toutefois, Benjamin n'en a pas fini avec moi.

– Si tu n'étais pas aussi coincée et snob, tu aurais peut-être compris que je ne veux pas faire de mal à ta sœur. Mais tu ne t'intéresses qu'à ton nombril, pas vrai ?

C'est moi qu'il traite de snob ? Lui, le roi des arrogants qui se croit meilleur que tout le monde ? Je n'ose le croire ! Je réplique, c'est plus fort que moi.

– Toi, le frais chié qui a tout vu, tout connu ! Tu t'intéresses au nombril de ma sœur, mais tu te fiches bien d'elle, pas vrai ? Tu ne la toucheras jamais !

Cette fois, il est hors de lui. Il s'approche de moi, menaçant.

– Eh ! L'hystérique ! Ta sœur ne m'intéresse pas. Je suis gai.

Silence.

La main de Guillaume serre la mienne comme un étau et P-A tremble contre moi. Je l'entends étouffer un juron. Benjamin blêmit. Puis, il nous tourne le dos et s'en va.

P-A s'assoit sur le banc de la table à pique-nique. Il est sous le choc. Guillaume s'accroche à ma main comme à une bouée de sauvetage.

Où est ma sœur ? Sous les arbres, je vois deux ombres blotties l'une contre l'autre. Océane et Anaïs. Ma sœur pleure. Je le sais juste à voir la façon dont sa tête est penchée contre l'épaule d'Océane. Combien de fois l'ai-je réconfortée comme cela après que nos parents se soient séparés ? Je regrette tellement de lui avoir fait de la peine.

P-A fixe le vide devant lui. Son cousin est gai. Drôle de façon de l'apprendre. Juste parce que sa folle de copine a piqué une crise d'hystérie… Je suis folle ? Heureusement, les gens autour du feu de camp ne semblent pas avoir remarqué quoi que ce soit. Ou bien ils s'en fichent.

Évelyne et Pierrick nous rejoignent en rigolant. Ma meilleure amie change de mine en nous voyant.

Guillaume est le premier à bouger. Il lâche ma main.

– Bon, la tempête est passée. On ramasse les dégâts ? Évy et Potvin, occupez-vous de Lili et de P-A. Je vais chercher Ben… Ani est avec Océane, ça devrait aller.

Évelyne me regarde sans comprendre. Guillaume se dirige d'un pas de course vers l'endroit où Benjamin est parti. P-A se prend la tête entre les mains en jurant. Pierrick tourne en rond, puis s'assoit. Je ne bouge pas. Je voudrais disparaître. J'ai tellement honte de moi. Évelyne me prend par les épaules et m'entraîne plus loin. Loin du monde… Je m'écroule et je pleure. Quelle idiote je suis !

Chapitre IV

Filer doux

P-A EST FÂCHÉ contre moi. Anaïs aussi. Benjamin me déteste. Je devais bien m'y attendre.

Benjamin est retourné chez lui le lendemain de la fête. Je ne sais pas comment P-A réagit ni quel effet ça lui a fait d'apprendre que son idole de toujours est gaie.

Bien entendu, on n'est plus à l'âge de pierre et on sait bien qu'il y a des homosexuels, mais le fait d'en connaître un, c'est différent. Un de mes oncles est gai et mon père ne lui parle plus. Je l'ai toujours trouvé bébé de bouder son frère. On ne choisit pas d'être homosexuel.

P-A s'en remettra, sauf que j'aimerais pouvoir le réconforter. Il y a maintenant trois jours qu'il ne bouge plus de chez lui et il ne retourne pas mes appels.

Pierrick devrait m'en vouloir également puisque j'ai gâché sa fête, mais il agit comme s'il n'était rien arrivé. Guillaume aussi, même si je vois bien qu'il est troublé par le mutisme de P-A.

Évelyne est aux petits soins avec moi. Elle sait plus ou moins ce qui me bouleverse autant. Elle n'a bien sûr aucune idée que j'ai l'intention de rompre avec P-A parce que je n'arriverai jamais à faire l'amour avec lui. Elle croit que je suis encore traumatisée par ce qui est arrivé avec Marc. En fait, elle a bien raison, mais en ce moment, je me fiche totalement de Marc. C'est à P-A que je pense. Je voudrais tant ne plus réagir mal lorsqu'il me caresse.

Elle ne parle pas de P-A. Elle dit simplement qu'il va finir par s'en remettre et qu'il va me pardonner. Rien de plus. Je sais que Pierrick et Guillaume sont allés le voir, mais Évelyne ne m'en a pas glissé mot. Elle veut uniquement discuter de Marc et de ma crise de nerfs pour une peccadille. Elle prétend qu'il est clair que je n'ai pas encore oublié mon agression.

Je sais bien que j'ai causé un drame pour un rien. Ma sœur s'amusait avec un garçon ; il faudra bien que j'accepte qu'elle vieillit et qu'un jour elle va avoir un copain, mais je refuse d'y penser pour le moment.

Anaïs me boude. Elle ne comprend pas que je veux la protéger. Elle ne m'a adressé la parole qu'une seule fois depuis la fête de Pierrick : « Je n'ai jamais eu aussi honte de toi de toute ma vie ! Tu as été méchante ! Je te déteste ! »

Évelyne a fait une recherche sur le Web pour m'aider à oublier Marc. Elle a imprimé des tas de documents sur les agressions sexuelles, mais je ne me reconnais dans aucun des textes. Il y a des histoires horribles sur des enfants agressés par un de leurs parents, des femmes violées par plusieurs hommes, mais nulle part de filles suffisamment idiotes pour se laisser agresser par leur « amoureux ».

Je ne suis peut-être pas assez dégourdie. Marc n'aurait pas eu besoin de me forcer si j'avais eu envie de le toucher.

– Tu vas trop vite, Lili. Peut-être que tu n'es pas prête.

Évelyne me tend un magazine ouvert sur un article qui traite de l'hypersexualisation des jeunes filles. Ah ! Encore ça ? L'hypersexualisation ! Ce mot inventé par des adultes qui jugent que les adolescentes s'habillent de façon trop séduisante pour plaire aux garçons. Et la mode, hein ?

Peut-être que Marc ne m'aurait pas remarquée si je n'avais pas eu un nouveau look, mais faut-il vraiment porter des vêtements affreux pour ne pas se faire agresser par les garçons ? Ridicule ! Je n'ai aucunement l'intention de porter mes vieux chandails trop grands pour faire plaisir à ces féministes radicales !

Je grimace et Évelyne riposte.

– Je sais, mais j'ai lu l'article et j'ai pensé à toi. L'auteur dit que plusieurs filles font l'amour alors qu'elles ne sont pas prêtes, uniquement pour plaire aux garçons. Lili, tu n'es peut-être pas prête.

– Toi, tu l'es ?

– Bien oui. J'ai toujours été plus mûre que toi.

Comme je ne prends pas le magazine, elle le lance derrière elle. La revue atterrit au pied du mur sur lequel Marc m'a poussée lors de l'agression. Je détourne le regard. Encore aujourd'hui, ce mur me rend mal à l'aise. Évelyne a dû changer la disposition des meubles de sa chambre et convaincre sa mère de lui acheter un nouveau couvre-lit, puisque je refusais de mettre les pieds dans cette pièce. Tout me rappelait l'agression. L'odeur du parfum de Marc me revenait au nez. Je sentais presque ses mains sur moi.

Évelyne soupire et se laisse tomber sur son lit.

– Bon, d'accord. C'est n'importe quoi. Tu n'es pas normale et il n'y a rien à faire de toi. P-A est le dernier des crétins d'endurer ça.

Mon cœur se fend en deux. Ou en mille. Qu'est-ce que ça peut faire ? Il est brisé et ça fait mal.

Évelyne se relève d'un bond et me secoue.

– Eh ! Réagis, Lili ! Tu ne crois quand même pas ce que je raconte ?

Je demeure stoïque. Comment lui avouer que je crois qu'elle a raison ? Je suis anormale. P-A va se lasser de moi.

La porte s'ouvre en trombe sur un Guillaume franchement hostile.

– J'en ai plus qu'assez ! Je vous avais dit que je ne voulais pas être mêlé à vos histoires. Et qui est pris entre vous quatre ? MOI ! Je n'en peux plus. Parlez-vous !

Il me lance son portable et agrippe sa sœur, l'obligeant à le suivre. Il me fixe d'un regard noir.

– Si vous ne vous parlez pas maintenant, je m'exile au Yukon. Je ne veux plus vous voir tant que vous ne serez pas réconciliés, d'accord !

Il ferme la porte derrière lui et renverse presque Évelyne en la poussant. Bien entendu, elle proteste et je les entends se quereller de l'autre côté de la porte. Guillaume hurle. Il est vraiment de mauvaise humeur.

– Les filles ! Vous n'êtes qu'un tas de problèmes ambulants. Je ne vois vraiment pas comment mes crétins d'amis font pour s'enticher de vous autres ! Je suis à bout !

Je saisis le portable. C'est P-A. Il rigole.

– C'est dommage que tu me manques autant. J'aurais bien aimé que Guillaume déménage au Yukon. Il ne tiendrait pas le coup plus de deux jours.

J'éclate de rire. Toujours sa façon de me faire craquer. Nous rions quelques secondes avant que je n'ose prendre la parole.

– Je suis désolée. J'ai été méchante avec Ben. Mais surtout, je m'excuse que tu aies appris... cette nouvelle d'une façon aussi abrupte.

– Oh ! Ça va. Il prévoyait m'en parler de toute façon. Tu as simplement provoqué son aveu. Il demeure mon cousin et mon ami, tu sais. C'est juste étrange de penser que tout ce temps où nous parlions de filles n'était en fait qu'un tas de mensonges.

– Il m'en veut beaucoup ?

– Pas pour ça, non. Il était prêt à sortir du placard. Mais il t'en veut parce que tu l'as jugé comme un salaud. Je lui ai expliqué que tu voulais protéger ta sœur.

– Tu ne lui as pas raconté mon histoire au sujet de Marc, quand même ?

P-A grince des dents.

– Non. Pour moi, cette histoire-là n'existe plus. J'en ai assez, pour être honnête. J'ai beaucoup réfléchi et...

Oh ! Il va rompre ? Mon cœur se met à battre à toute vitesse. Je réalise alors que je n'ai jamais vraiment eu l'intention de le quitter.

Il poursuit :

– J'aimerais reprendre à zéro. Qu'on soit un couple normal. Je ne veux plus en parler. Jamais. On oublie tout. Marc et le reste. Comme si cette histoire n'était jamais arrivée.

Je soupire de soulagement. Tout oublier. Oui. Je suis d'accord.

Évelyne ne partage pas notre décision.

– Ne plus en parler ? C'est ridicule, Lili.

Elle m'observe de ses yeux bleus qui semblent me dire : « J'ai raison et tu le sais », mais je tente par tous les moyens de fuir son regard. Je plie son chandail rouge et le range dans sa valise.

– Ça ne sert à rien d'en parler, Évy. On se fait du mal pour rien. Non, je dois régler ça toute seule.

Elle ne m'approuve pas. Elle enfouit rageusement quelques paires de chaussettes dans une pochette de son sac de voyage. Demain, elle part rejoindre son père en Floride pour les deux prochaines semaines et j'en suis bien contente. La paix ! Elle peut bien dire ce qu'elle veut, si je veux que ma relation avec P-A soit harmonieuse, je dois reléguer cette agression le plus loin possible dans un coin de mon cerveau que je ne visite pas souvent. J'aimerais enfouir toute cette histoire dans un coffre et en perdre la clé.

Évelyne me sort de mes pensées.

– Lili-la-Lune, cesse de fuir un peu ! Tu dois affronter les obstacles. Ta tête n'est pas un refuge ! Cette fois, tu vas m'écouter ! P-A est un crétin s'il pense que vous allez tout oublier sans jamais en discuter. L'année dernière, vous ne vous êtes rien dit à propos de vos sentiments et tu vois le résultat ?

J'essaie de ne pas réagir, mais c'est plus fort que moi.

– Mêle-toi de tes affaires, Évelyne Vachon !

– Sûrement pas ! C'est ce que j'ai fait l'an dernier et je le regrette vraiment.

Je lance la robe soleil que je tentais de plier en rageant. Ce qu'elle peut être arrogante !

– Tu m'as forcée à me réconcilier avec Marc et ce n'était pas de tes affaires !

– Je ne parle pas de cette histoire et tu le sais bien.

Elle fait référence au fait qu'elle savait que P-A m'aimait et qu'elle ne m'a rien dévoilé. Je lui ai souvent reproché de m'avoir caché cette information. Je l'ai même boudée pendant deux mois.

Je reprends la robe en tentant de me calmer. Néanmoins, je suis toujours en colère.

– Tu sais quoi ? ajoute-t-elle. Si je ne dis rien aujourd'hui, vous allez droit vers la rupture, crois-moi. Alors, je le répète pour ton bien : parlez-vous !

Je veux oublier. C'est plus simple. Mais pour la faire taire, j'acquiesce.

– Tu as raison.

Il ne sert à rien de m'obstiner. Je vais faire à ma tête et, à son retour dans deux semaines, tout ira mieux et elle n'y verra que du feu.

Chapitre V

De fil en aiguille

BENJAMIN est de retour chez P-A. Son arrivée tombe pile. Évelyne est en Floride et P-A est occupé à jouer les groupies avec son cousin.

J'ai donc tout le loisir de mettre mon plan à exécution. Il est très simple. Si je maigris suffisamment, je n'aurai plus honte de mon corps et P-A pourra me toucher sans que j'aie peur qu'il me trouve dégoûtante. Alors, on ne se querellera plus au sujet de Marc.

Depuis le départ d'Évelyne et de Guillaume, je m'entraîne à la piscine municipale tous les jours et mon crawl s'améliore au même rythme que mon tour de taille. Quant à Marc, j'essaie de ne plus penser à lui. Ce n'est pas bien difficile. Aux dernières nouvelles, il déménageait pour se rapprocher de son cégep. Je suis tellement soulagée qu'il ne soit plus à mon école !

Alors que je me fais bronzer tout en lisant un roman de plus de 1 000 pages, Léa arrive en douce et me fait sursauter. Elle s'installe à mes côtés et commence à s'enduire de crème solaire. Je remarque que le sauveteur ne la lâche pas des yeux. Je soupçonne d'ailleurs qu'elle en est consciente. Sacré Léa ! Elle me lance un regard réprobateur.

– Lili, tu ne savais pas qu'il est interdit de se faire bronzer avec un costume de bain aussi anti-sexy ?

Mon amie est à l'affût des dernières modes et, à ses yeux, rien n'est plus important que d'être séduisante ! L'uniforme de son école privée semble lui avoir causé un sérieux traumatisme.

– Pourquoi tu ne mets pas le bikini qu'Évy t'a donné ? Elle me jure qu'il te va à merveille.

– D'accord, je peux bien te l'avouer. J'ai pris quelques kilos durant les derniers mois et…

Elle m'interrompt en rigolant.

– Cesse de trimballer des romans aussi énormes et tu seras moins lourde !

Je soupire. Elle rit de son petit rire chiant. Mon amie est la pire chipie que je connaisse. Mais une adorable chipie !

– Sérieusement, Lili, tu as pris un peu de poids récemment, mais tu étais trop maigre. Allons, profite de tes formes, ma belle.

Je déteste qu'on m'appelle « ma belle ». J'ai l'impression qu'elle se moque de moi. Elle en rajoute :

– Tu ne peux pas te faire bronzer avec ce maillot horrible. C'est une insulte pour le soleil et le beau sauveteur qui se brûle la rétine pour voir une once de ta peau. Pauvre lui, tu y as pensé un peu ?

– Léa, franchement…

Elle est ridicule, même si je sais qu'elle blague.

– Quand j'aurai perdu suffisamment de poids, je porterai un bikini. Pour l'instant, mon ventre est horrible.

Léa observe le repli de peau que je lui présente. Elle se moque de moi.

– Oh ! C'est fou ce que tu es grosse !

Je lui lance un regard meurtrier. Elle lève les mains en signe de reddition.

– Ça va. C'est quoi ton plan amaigrissant ?

– Je nage !

Mon amie lève les yeux au ciel. Puis, elle se penche vers moi.

– Si je te confie un secret, tu tiendras ta langue ?

– Promis.

– Pas même Évy, compris ?

Elle m'intrigue. Je promets et fais mine de cracher.

– Lili, ne crache pas. Tu me dégoûtes. Bon…

Elle fouille dans son sac à main en cuir de crocodile hyper tendance et en ressort un petit contenant, qu'elle agite sous mon nez.

– Des pilules coupe-faim. Tu sautes un repas. Celui du midi, c'est plus facile. Tu peux jeter ton lunch ou faire semblant d'aller pique-niquer. Mes parents n'y voient que du feu. Parfois, je suis obligée de manger avec eux, mais je trouve souvent une excuse pour ne pas dîner.

– Léa, où t'es-tu procuré ces pilules ?

– À l'école. À mon collège, presque le tiers des filles ne mangent pas sur l'heure du dîner. Les autres sont grosses.

Elle rigole, mais je ne suis pas certaine de trouver sa blague très amusante.

– C'est dangereux, non ?

– Pas du tout.

– Ça fonctionne ?

Elle se lève et pivote sur elle-même. Pas une once de gras, un corps parfait.

– Je n'ai pas faim. Il faut quand même faire attention de ne pas s'empiffrer au souper, mais ce n'est pas si mal. Tiens, essaie et tu verras.

J'ai toujours cru que ses origines asiatiques lui donnaient ce corps mince.

– Dans mon école, nous avons formé un groupe. Nous nous appelons « D'amour et d'eau fraîche ». Durant toute la journée, nous ne buvons que de l'eau et nous nous encourageons mutuellement. Quand j'ai faim, je pense à Francis qui va me laisser si je grossis. Je n'ai plus du tout envie de manger !

P-A va-t-il vraiment me laisser si je grossis ? D'amour et d'eau fraîche ? Peut-on réellement vivre uniquement d'amour et d'eau fraîche ? Je vais essayer.

Je ne suis pas certaine que les pilules de Léa fonctionnent réellement. J'ai fait quelques recherches sur Internet et j'ai découvert que le céleri prendrait plus de calories à être digéré qu'il n'en donne. Si je ne me nourris que de céleri, je vais donc maigrir.

Mon estomac crie famine et je trouve cela insupportable. Pour le faire taire, je vais nager, mais au bout de vingt longueurs, je suis épuisée. Je poursuis quand même et je termine mon entraînement.

Au bout des deux semaines, je n'ai perdu que deux kilos. Pour voir l'effet, j'ai enfilé le bikini d'Évelyne et je me suis observée dans le miroir. Déception. Encore ce fichu bourrelet sur la hanche. Et ce ventre qui ramollit dès que je m'assieds. J'ai des cuisses d'hippopotame! Non, je ne peux toujours pas me montrer ainsi. Je suis découragée. Mes efforts ne mènent nulle part, je suis toujours aussi moche. Je devrai poursuivre mon plan durant quelques semaines encore.

Évelyne est de retour depuis trois jours et je l'évite. Comment vais-je lui expliquer mon échec? J'ai vu P-A seule à seul durant quelques heures à peine et j'ai trouvé cela insupportable. C'est à peine si on s'est embrassé. Il parlait sans arrêt et moi, je pensais à cet horrible ventre qui ne cessait de se pointer le bout du nez sous mon chandail trop court. Je suis laide. Il va finir par s'en apercevoir, c'est certain.

Les cours reprennent dans une semaine. Je ne pourrai plus nager à la piscine municipale. Alors, j'ai demandé à ma mère de m'inscrire au club de natation. Elle en a paru étonnée.

– Pourquoi cette soudaine passion pour la natation?

Pour maigrir. Mais je n'allais quand même pas lui donner cette raison! Je lui ai répondu qu'il est important de se maintenir en bonne forme physique. Elle m'a observée en prenant une gorgée de café avant de soupirer.

– Bon, si ça peut te faire plaisir, mais parles-en à ton père d'abord.

Mes parents sont incroyables ! Pourquoi ne peuvent-ils prendre une décision par eux-mêmes ?

Mon père a accepté. C'est Sophie, sa nouvelle femme, qui l'a convaincu.

– La natation est un sport complet ! Oh ! Si j'étais plus jeune, j'aimerais faire partie d'un club de natation, moi aussi !

Elle a déjà dix ans de moins que mon père. Il ne faudrait pas qu'elle en rajoute, mais mon père a craqué, comme chaque fois que Sophie agit en gamine.

– Tu aurais été la meilleure, ma Sophinette !

Je déteste quand mon père roucoule de la sorte. Toutefois, il a accepté de payer les frais. Il ne me reste plus qu'à réussir les qualifications pour être acceptée dans l'équipe. J'ai pris des cours lorsque j'étais plus jeune, mais j'ai du pain sur la planche. Je nage tous les jours et je cours avec Léa pour améliorer mon endurance.

Elle me donne quelques astuces pour maigrir. Boire du lait écrémé, calculer le nombre de calories maximum à ingérer, choisir les aliments minceur, etc. Elle évalue tout. Dans ma tête, il y a un fouillis immense. Comment fait-elle ?

– C'est simple, explique-t-elle. Tu dois manger moins de calories que tu n'en dépenses.

Je ne trouve pas cela si simple. Combien y a-t-il de calories dans le filet de porc que ma mère a fait griller sur le barbecue ? Et dans mon bol de céréale ? Je ne m'y retrouve pas.

– Coupe les sauces. Prends des portions de viande plus petites que ta main. Pas de féculent, riz, pomme de terre, pâte alimentaire et pain. Uniquement des légumes.

Ma mère risque de trouver ces nouvelles habitudes alimentaires étranges, puisque j'ai toujours aimé les sauces et les pâtes, et que je ne suis pas friande des légumes. Comment faire un régime sans qu'elle s'en aperçoive ? Alors, je dis que c'est pour l'entraînement, que je ne peux manger tel ou tel mets si je ne veux pas me sentir lourde.

Mes stratégies fonctionnent... pour l'instant. Mais je sens le danger poindre à tout moment. Un regard inquisiteur de mon père lorsqu'il remarque que je ne touche pas à mon filet mignon et que j'engouffre des tas de brocoli. Un commentaire de ma mère à propos du fait que je cours tous les jours.

J'y vais en douceur.

Chapitre VI

Fil de fer

– QU'EST-CE qu'il fait ici, celui-là ? Benjamin Lepage. Dans NOTRE cafétéria. Assis à NOTRE table.

À part Marc Rioux, il est la personne que j'ai le moins envie de voir en ce moment. Moi qui croyais avoir la paix. Évelyne secoue la tête.

– Quoi ? P-A ne t'en a pas parlé ?

Je hausse les épaules. Je bous de rage. Non, il ne m'a rien dit concernant son cousin. Mes joues sont toutes chaudes. Elles me trahissent.

Il faut dire que je ne le vois pas très souvent ces temps-ci et, la plupart du temps, Guillaume ou Jef sont en notre compagnie. Un fossé immense semble s'être creusé entre nous.

Puis, il y a un accord tacite qui nous interdit de parler de Marc et de Benjamin, mais je ne peux le dire à Évelyne sans déclencher une crise de « Parlez-vous ». Elle n'est pas revenue sur le sujet depuis son retour de Floride. J'observe Benjamin à la dérobée.

– Qu'est-ce qu'il fiche ici ? Un stage de frais chiés pour aider les crétins des écoles publiques comme nous ?

– Lili, cesse de lui en vouloir, il ne t'a rien fait. Il a simplement décidé de changer d'école et de fréquenter Saint-Esprit.

Non ! Pincez-moi, je rêve sûrement ! C'est la pire nouvelle de l'année !

Zut ! J'ai parlé trop vite. Ma sœur s'assied à côté de lui en lui donnant la bise. Ma sœur, à NOTRE table ! Je n'avais pas prévu qu'elle me collerait aux fesses !

– C'est pas vrai ! Il va falloir que je l'endure, elle aussi ?

– Je tolère mon frère depuis des années et je ne suis pas morte !

Évelyne a toujours les bons mots pour m'aider à me sentir mieux ! Je soupire de dépit et elle m'entraîne à sa suite en me sermonnant.

– Arrête un peu, Lili…

Je m'assois à côté de P-A. Il m'embrasse et le calme reprend sa place dans mon ventre. Ses cheveux chatouillent mon visage. Il sent bon, comme toujours. Puis, il poursuit sa conversation avec Benjamin.

Je grignote mes branches de céleri en silence. Évelyne et Pierrick s'obstinent déjà sur leur lunch. Pierrick est dégoûté par le contenu du repas congelé de mon amie.

– Qu'est-ce que tu manges ? Des croquettes de rats ?

– Toujours meilleur que ton sandwich de similipoulet. On ignore ce que les fabricants mettent là-dedans. Répugnant !

Guillaume ronchonne dans son coin.

– Quelle conversation intéressante ! Toi, Lili, ta branche de céleri est bio, au moins ?

Je hausse les épaules sans répondre. Je ne voudrais pas attirer l'attention sur le fait que ce plat de céleri est mon unique repas.

Trop tard. Pierrick a remarqué.

– Hi ! Gros lunch !

Je me défends.

– Je participe aux qualifications pour l'équipe de natation dans quelques heures. Je ne dois pas manger trop avant de nager.

Benjamin me fixe.

– Quoi ? Les qualifications pour l'équipe de natation ? Tu peux dîner, tu sais. Le formulaire d'inscription recommande de ne pas manger deux heures avant la qualification. Elle n'est qu'à 16 heures.

Je hais ce type profondément ! La colère m'envahit.

– Je suis nerveuse et je n'ai pas faim, d'accord…

P-A me frotte le dos doucement.

– Ne t'inquiète pas, Lili. Ben et toi, vous allez être choisis, j'en suis certain.

Il a bien dit « Ben et toi » ? Il participe aux qualifications, lui aussi ? Cette journée infernale va-t-elle se terminer ? J'observe l'entrée de la cafétéria dans la crainte d'apercevoir Marc Rioux, en compagnie de sa nouvelle petite amie, venir m'humilier en disant tout haut : « Tu sais, Lili, des filles dégourdies, il y en a à la tonne ! » Il ne manquerait que cela pour que ma journée soit complètement pourrie.

Même si Marc a rencontré la psychologue de l'école, il n'a jamais avoué ses torts envers moi. Mais je ne dois plus penser à lui. Plus jamais.

Pourquoi je parviens à oublier des formules de mathématiques importantes, mais pas Marc Rioux ? Mon cerveau ne choisit pas les bonnes informations à éliminer. Mon estomac n'aime pas les bonnes choses. Je rêve d'un repas de croquettes congelées, comme celui d'Évelyne. Et des frites, comme celles sur le plateau de Sandrine. Mais ça voudrait dire que je devrai courir ce soir et, après la natation, je vais sans doute être fatiguée. Alors, je grignote mon céleri…

Benjamin me fait un signe de la main. J'ai un nouveau maillot de natation, un cadeau de Sophie qui m'envie tellement de faire partie d'une équipe sportive ! « Ah ! Si j'avais 16 ans… », dit-elle.

Je n'ai pas encore 16 ans et, surtout, je ne suis pas encore admise dans l'équipe, mais je l'ai remerciée de son attention. Elle a un certain talent pour saisir ce que mes amies ne comprennent pas. Le maillot est beau et, sans être antisexy comme celui que je portais auparavant, il n'est pas non plus indécent. Il est parfait.

Tout de même, je n'avais pas pensé que j'allais devoir me montrer en maillot devant une partie de l'école, dont des gars ! Bon, j'exagère un peu, puisque nous ne sommes qu'une vingtaine de participants.

Je ne connais personne à l'exception de Benjamin et de Mélina Robert Saint-Laurent. Toutefois, je n'ai pas envie de leur parler. Mélina m'évite puisque je suis la copine de P-A et qu'il s'est moqué d'elle l'an dernier. Je crois qu'elle a encore le béguin pour mon amoureux.

– Lili ?

Oups ! J'étais encore dans la lune. Benjamin se tient devant moi, torse nu et gêné. Il est très musclé et bronzé. Wow ! Je ne suis pas le genre « gars musclés », mais ses épaules sculptées ne me laissent pas indifférente. Surtout que son visage, avec cet air timide, ressemble étrangement à celui de P-A. D'accord, ils sont cousins, mais je n'avais jamais remarqué leur ressemblance. Mon regard ne s'était jamais attardé plus de deux secondes sur lui, puisque je le considère comme étant le dernier des crétins.

Je me rends compte que je le dévisage. Je détourne le regard et remarque que je ne suis pas la seule à le scruter de la sorte. Toutes les filles de la pièce semblent sous son charme.

Étrangement, j'aurais cru qu'il s'en serait senti glorifié, mais il semble mal à l'aise. Je reste donc à ses côtés, même si j'ai envie de me retrouver à des kilomètres de lui.

Il se racle la gorge à nouveau et me sort encore une fois de mes pensées.

– Lili, j'aimerais qu'on fasse la paix.

– La paix ? La paix ? On n'est pas en guerre !

Je suis bête, mais je lui en veux toujours pour les événements de cet été. Il ne m'a rien fait, c'est vrai. Même que ce serait à moi de m'excuser d'avoir été méchante avec lui, mais depuis qu'il est là, rien ne va plus entre P-A et moi. Rien ne va plus dans ma vie.

– Écoute, je veux juste former une équipe avec toi. Ensuite, je te laisse tranquille. Je ne connais personne.

– Quoi ? On doit se mettre en équipe ?

– Tu n'écoutes pas ou quoi ? L'entraîneur nous demande de nous placer en équipe de deux.

Oups ! J'ai tellement de difficulté à demeurer concentrée. Durant mon cours de mathématiques, je m'endormais et tout me semblait flou, comme si j'avais les yeux embués. Mes verres de contact sans doute... ou le fait que je n'ai pas mangé de la journée, à part ce plat de céleri.

– Si tu ne veux pas faire partie de l'équipe, il ne fallait pas venir, tu sais.

– Oh ! Ça va. On est des coéquipiers.

M. Roberge, l'entraîneur, nous demande de nous nommer. Il nous propose de faire quelques longueurs pendant qu'il évalue les nageurs, en équipe de deux.

– Je commence avec Alicia Audet-Dubé et Danika Raymond.

Deux jeunes filles de première secondaire suivent l'entraîneur. Je laisse ma serviette sur le banc et j'imite Benjamin, qui semble savoir ce qu'il fait. Après quelques échauffements, nous entrons dans la piscine.

Comme Benjamin nage plus vite que moi, je suis forcée d'augmenter ma cadence et au bout de dix longueurs, je suis déjà fatiguée. Il me dépasse au bout de douze longueurs. J'abandonne, à bout de souffle. C'est à ce moment que j'entends mon nom.

– Coralie Boivin-Laplante et Benjamin Lepage.

Je ne tiendrai sans doute pas le coup. Je suis déjà épuisée. Benjamin me suit dans le couloir d'évaluation. Sûr de lui, il entre dans l'eau et commence à nager, sans même m'attendre. Quelle arrogance! Son attitude me donne envie de me dépasser. Il va voir de quel bois je me chauffe!

Je nage comme si ma vie en dépendait. J'enfile les longueurs sans rien ressentir. Ni fatigue ni stress ni rien. Je nage à vive allure. On croirait même que je n'ai pas besoin de respirer, tellement tout est fluide. Après quelques minutes de brasse et de crawl, l'entraîneur nous arrête et nous remercie.

Benjamin ronchonne.

– Pas de papillon?

– Non, pas lors de l'évaluation, jeune homme. Cette technique n'est pas obligatoire.

Benjamin le regarde avec son air chiant qui me répugne et me chuchote:

– Franchement, ce n'est pas une vraie équipe s'il ne juge pas les nageurs en style papillon. À mon ancienne école, on…

Je l'interromps:

– Tu n'avais qu'à y rester.

– J'aurais bien aimé, crois-moi, mais je ne le pouvais pas.

– Pourquoi? Le taux de frais chiés était déjà trop élevé?

Ses épaules se voûtent et il se racle la gorge:

– Non, mes amis n'ont pas accepté mon… ma différence.

Oh! Un poids s'enfonce dans mon ventre et me coupe l'air. Il a beau être snob, il n'en demeure pas moins qu'il vit des choses difficiles, lui aussi. Je m'entends souffler:

– Je suis désolée, Ben.

Il me fait un signe vague de la main avant de s'enfoncer dans le vestiaire des hommes, me laissant seule avec mes remords.

~

Dès le lendemain, les résultats sont affichés. Je suis choisie. Mélina Robert Saint-Laurent et Benjamin également. J'ai l'étrange sentiment que tous ceux qui ont fait l'évaluation ont été acceptés dans l'équipe. Benjamin a la même impression, puisqu'il s'en est plaint ce midi. Je n'ai rien dit, mais Évelyne m'a avoué qu'elle l'avait trouvé insupportable. Pour ma part, j'étais très contente qu'il occupe toute la place. De cette façon, personne n'a fait de commentaires sur mon lunch.

À partir de la semaine prochaine, j'aurai l'excuse parfaite. M. François, le professeur de mathématiques, m'a demandé d'aider les élèves en difficulté, le lundi, mercredi et vendredi midi. Puis, les autres midis, je vais m'entraîner. Voilà! Personne ne remarquera que je mange peu.

P-A est heureux que j'aie été choisie, mais je vois dans ses yeux qu'il en est aussi un peu déçu.

– On ne se voyait déjà plus. Ce sera encore pire maintenant?

Il a raison. Je trouve la situation difficile, moi aussi. Je me blottis dans ses bras. Il me souffle à l'oreille:

– Tu veux qu'on écoute un film ce soir ?

Je l'embrasse en acquiesçant. Il caresse mes cheveux et je me sens fondre tout contre lui. C'est fou comme je peux l'aimer. Mon cœur se gonfle tellement qu'il me fait mal. J'ai envie de pleurer.

Je voudrais tant que tout se passe bien entre nous. Si seulement il n'y avait pas eu Marc. Si seulement je n'avais pas été aussi idiote.

Je n'arrive pas à me concentrer sur le film. Je suis blottie contre P-A et sa main caresse doucement ma hanche. Je suis partagée entre deux sensations. Du dégoût, puisque sa caresse me rappelle cet horrible bourrelet qui, malgré tous mes efforts, ne disparaît pas. Et un autre sentiment confus, comme un bien-être dans le creux de mon ventre, une chaleur bizarre qui est à la fois agréable et très déstabilisante.

J'essaie de ramener mon cerveau vers le film, mais il divague. On dirait que plus rien n'existe en dehors de la main de P-A sur moi. Parfois, on dirait que j'aurais envie qu'il me pousse dans un mur comme Marc l'a fait et qu'il m'empêche de réfléchir. Qu'à coups de caresses, il me fasse oublier. Sa douceur m'irrite. Elle laisse place aux doutes. Les nombreux doutes.

Je voudrais aussi que P-A soit méchant avec moi. De cette façon, je me sentirais moins mal d'être à ce point horrible. Il est toujours si compréhensif, si doux et aimant. Il fait toujours tout ce que je veux et je me sens monstrueuse. Je ne le mérite pas. Je l'aime tellement.

L'amour me fait mal.

P-A est concentré sur le film. C'est à croire qu'il ne s'aperçoit même pas que sa main caresse ma hanche. Rien ne semble vraiment le tourmenter, lui. Il affiche un sourire de gamin, rigole aux bons endroits, se prend une poignée de croustilles en m'en offrant (je refuse, bien entendu) et l'engloutit en trois quarts de seconde. Il n'a pas de ventre à cacher, lui.

Pourquoi tout semble si simple quand on est un gars ?

Parfois, je voudrais être un gars. Je voudrais vivre la vie aussi simplement qu'ils la vivent.

P-A caresse ma hanche et ce mouvement lui semble tout naturel. Il caresse ma hanche et je suis totalement obsédée et incapable d'écouter le film ! C'est l'horreur, ce bourrelet. C'est la honte ! Comment peut-il le toucher ?

– Ça va, Lili ? Tu ne te sens pas bien ?

En effet, je ne vais pas bien. Sa main s'est posée, pleine, directement sur ma peau et j'ai le souffle court. Calme-toi, Coralie. Respire. Voilà.

Je l'embrasse. Il me serre contre lui. Mon cœur reprend doucement un rythme régulier. Je ne pense presque plus à mon bourrelet. En fait, je n'y pensais plus avant d'y repenser.

Oh ! Ça suffit… Qu'on taise cette voix dans ma tête !

Ne plus penser qu'à P-A. Sa bouche si douce. Sa main dans mes cheveux.

Voilà. Je me sens bien. Totalement bien.

– Je t'aime, Lili...

– Je t'aime aussi, P-A.

J'aimerais être un gars pour croire que la vie est toute simple.

Chapitre VII

Fils d'araignée

PLUS LES JOURS AVANCENT, plus il est difficile de cacher le fait que je ne mange presque pas. J'essaie de faire passer l'heure du dîner en me trouvant des occupations. Parfois, j'oublie volontairement mon porte-crayon en classe, ce qui m'oblige à faire des détours avant de rejoindre mes amis à la cafétéria. D'autres jours, je vais porter un livre à la bibliothèque ou je m'invente un appel à faire. Si on me demande si j'ai dîné, je dis toujours que j'ai mangé un sandwich en chemin. Puis, j'avale mes céleris tranquillement.

Jusqu'à présent, personne n'a semblé remarquer quoi que ce soit. J'ignore pourquoi je me cache. Quelque chose en moi me dit que si on apprenait que je prends des pilules coupe-faim, on me réprimanderait. Je sais que mon comportement n'est pas correct, mais, bien que je meure de faim en permanence, il y a quelque chose de grisant dans le fait de me priver. Je me sens en contrôle parfait. Je me sens fière de moi pendant quelques minutes. Chaque repas que je saute est une victoire. Je me sens légère et au-dessus de tout.

Pierrick prétend que la drogue fait le même effet, mais je n'ai pas envie d'en tenter l'expérience.

Évelyne croit qu'il a recommencé à fumer de la marijuana en cachette. Il se sauve parfois les midis, lui aussi. Mon amie se tait, puisqu'elle veut éviter les disputes. Elle peut bien me scander ses grands slogans sur la communication dans le couple, elle évite tout autant que moi les sujets épineux.

Personne n'est d'accord avec le fait que Pierrick prenne de la drogue, tout comme je suis convaincue que personne ne serait d'accord avec ma façon de me nourrir.

Alors, je mens. Comme Pierrick.

Sauf que moi, j'ai un objectif. Faire disparaître ce ventre mou qui me fait honte et gagner l'amour de P-A. J'ai besoin de toute ma force et mon courage pour y parvenir, mais je vais y arriver.

M. François me rejoint dans le local d'aide aux devoirs. En fait, il s'agit simplement d'une classe régulière. Il n'y a encore personne. L'aide débutera dans quelques minutes.

– Tu as pris le temps de manger, Coralie ?

– Oui, je viens tout juste de terminer mon repas.

Une bande de jeunes de deuxième secondaire entre et s'installe en ronchonnant dans un coin. Je suis nerveuse. Je n'ai jamais eu besoin d'assister à ce genre de rattrapage scolaire et j'ignore de quelle façon nous allons procéder. Comment pourrais-je les aider ? Ils ne sont pas heureux d'être ici et je les comprends. Une fille de cinquième secondaire nous rejoint.

– Bonjour Chloé !

M. François nous présente l'une à l'autre en nous expliquant notre rôle. Il s'agit d'aider les élèves en leur expliquant les problèmes et en leur donnant des conseils pour les résoudre.

Quelques élèves entrent à leur tour et la classe finit par se remplir. M. François s'adresse à eux. J'essaie d'écouter ce qu'il dit, mais mon estomac fait des siennes. Je n'ai plus de pilules coupe-faim depuis hier. Elles me coûtent cher et je n'ai pas d'argent pour m'en racheter d'autres pour le moment. Alors, je bois de l'eau.

J'essaie de rester concentrée sur ce que dit l'enseignant. Il poursuit son discours sur l'importance d'être sérieux lors de ces midis d'aide aux devoirs. De ce que j'en comprends, certains viendront plusieurs midis par semaine et d'autres uniquement de temps à autre. Il annonce qu'il y aura de sérieuses réprimandes si l'un d'eux ne venait pas à l'atelier ou s'ils ne travaillaient pas convenablement.

– Coralie et Chloé seront mes yeux et tout ce qu'elles me rapporteront sera pris en considération.

Quoi? Il ne reste pas avec nous? Non, puisqu'il nous quitte. Chloé s'approche de moi.

– Tu ne serais pas l'ancienne copine de Marc Rioux? Enfin, l'une de ses anciennes amies?

Pendant une fraction de seconde, mon esprit se vide. Je n'ose croire qu'elle me parle de lui! J'ai envie de lui mentir. Toutefois, la rougeur de mes joues doit me trahir déjà et un flot d'émotions haineuses m'envahit. Je lui lance un regard qui lui démontre clairement que je n'ai pas envie d'en parler. Elle ne comprend pas. Elle s'assoit sur un bureau et me regarde avec curiosité.

– Dis-moi ? Est-ce qu'il est bien ?

La simple idée de penser à Marc me donne envie de vomir. Heureusement que j'ai l'estomac vide ! Devant mon mutisme, elle se sent obligée d'expliquer.

– Mon amie Sophia me jure qu'il est mieux qu'un Dieu. Je suis convaincue qu'il ne vaut rien.

– Encore moins que rien !

C'est sorti tout seul. J'essaie d'oublier Marc de tout mon être et la tactique que j'utilise pour le fuir ne semble pas fonctionner. Il y a de quoi être en colère !

Elle me sourit froidement.

– Je le savais. Tous les types qui jouent au hockey sont des minables.

– Pas du tout. Francis, le copain de mon amie Léa, est un bon gars.

– Je suis sortie avec trois d'entre eux et ils m'ont tous menti. Enfin…

Elle me raconte chacun des mauvais coups que ses anciens copains lui ont fait subir. C'est d'un ennui mortel. Je ne suis pas ici pour jouer à la psychologue, mais pour aider des élèves en mathématiques. Je m'ennuie de mes amis… Je l'interromps dans l'un de ses élans.

– Excuse-moi, je vais aller voir si quelqu'un a besoin de moi.

Elle ricane.

– Ils vont se moquer de toi. Ils viennent ici pour se débarrasser le plus vite possible de leurs travaux. Ils ne veulent même pas essayer de comprendre. Nous faisons office de figurants, ma chère. Uniquement pour la discipline. Je rapporte tout à M. François, c'est ma seule tâche.

– Je vais quand même aller voir. Moi, je suis ici pour les aider.

Mon ton est plus bête que je ne le voudrais, mais ses histoires m'exaspèrent et la simple idée de passer trois heures par semaine en sa compagnie me rend folle.

C'est l'anniversaire de P-A aujourd'hui et les jumeaux ont préparé un énorme gâteau pour souligner l'événement. Il est décoré de façon à souligner l'originalité de mon amoureux avec un glaçage de toutes les couleurs et de nombreux bonbons installés n'importe comment. L'assiette est même entourée d'une guirlande de Noël.

– Il est laid, non? On a mis tout ce qu'on avait sous la main, me chuchote Guillaume.

– Ce gâteau donne mal au cœur.

D'habitude, j'aime bien les gâteaux d'anniversaire, surtout ceux que font les jumeaux, puisqu'ils y mettent toujours une touche spéciale. Celui-ci m'angoisse. Comment vais-je faire pour ne pas en manger? Léa pourra sans doute m'aider.

Mon amoureux est radieux.

– Lili, viens, on va prendre une photo de nous deux avec le gâteau!

– Tu y tiens vraiment ?

Ses yeux pétillants se noircissent. Alors, je lui offre mon plus beau sourire et je m'approche de l'ennemi. J'ai peur de toutes les bonnes odeurs qui me monteront aux narines. Et si je succombais ? Pour une seule fois ? C'est l'anniversaire de P-A après tout... sauf que, demain, son père organise un souper de fête en famille et je devrai trouver mille astuces pour ne pas trop manger. Si je succombe maintenant, il faudra que je me contrôle demain. Ce sera compliqué !

P-A me prend par le cou et nous approchons nos visages du gâteau. Des odeurs de sucre et d'épices me chatouillent les narines. Ce que je donnerais pour pouvoir en manger. Mais il ne faut pas, non !

Évelyne prend un premier cliché et regarde le résultat.

– Lili, souris. On jurerait que tu vas vomir. On en reprend une autre.

J'approche à nouveau mon visage du gâteau et j'essaie d'être souriante. P-A joue à l'idiot, ce qui m'aide à me détendre.

Mon amoureux coupe le gâteau.

– Une grosse part avec beaucoup de bonbons pour celle que j'aime.

Il me tend un énorme morceau. J'adore les friandises, mais en ce moment, je ne vois qu'un tas de sucreries qui m'horrifient. Combien de kilomètres devrai-je courir pour éliminer toutes ces calories ? Je proteste.

– Non, pas si gros...

– Allons, Lili, tu n'as pas mangé de la journée !

– Qu'est-ce qui te fait croire que je n'ai rien avalé de la journée?

– Ben me l'a dit.

La colère me submerge. Benjamin commence à se mêler de mes affaires, maintenant?

– Ben ne sait pas tout!

– Non, il ne sait pas tout. Il a juste remarqué que tu ne manges pas beaucoup les midis avant les entraînements.

– Je dîne dans le vestiaire!

P-A baisse la tête tristement.

– Il a demandé à Mélina de te surveiller et elle a vu que tu grignotes uniquement quelques branches de céleri.

Pardon? Benjamin Lepage m'espionne? Il est heureux qu'il ne soit pas avec nous ce soir, car je lui lancerais ma portion de gâteau en plein front.

– Mélina est menteuse!

Évelyne décide de se mêler de la conversation.

– Mélina est la pire potineuse qui existe et elle déteste Lili. P-A, donne-lui une plus petite portion. Je vais me sacrifier et prendre ce morceau bourré de bonbons!

P-A me lance un regard suspicieux. Je me rends compte que je devrai redoubler d'effort pour que mon amoureux ne voie pas mon jeu. Et surtout, que je devrai avaler ma part de gâteau.

Je rejoins Léa qui mange une part raisonnable de gâteau comme si c'était la meilleure pâtisserie du monde. Elle la sépare en toutes petites bouchées et prend tout son temps à les avaler.

– Voyons, Lili, c'est l'anniversaire de ton amoureux. Régale-toi. C'est délicieux !

Francis a déjà terminé sa portion et va s'en chercher une autre. La mienne est toujours intacte et je ne me décide pas à y goûter.

Léa me chuchote.

– Tu as pris tes pilules coupe-faim trop tard, c'est cela ?

Même si je n'ai plus de pilules depuis le début de la semaine, je lui fais signe que oui.

– Elles sont efficaces, non ? Un cachet enlève la faim d'un coup sec. Tu as maigri, je suis contente de voir que mes conseils t'ont servi. Tu veux perdre encore combien de kilos ?

Je hausse les épaules. Je ne sais pas. Je crois que j'ai perdu tout le poids que j'avais pris depuis que j'ai mes règles et que j'ai la taille aussi fine que l'an passé. Toutefois, ce n'est pas suffisant. Je me sens toujours aussi grosse et mon ventre me dégoûte autant. Léa poursuit :

– Allez ! Mange ton gâteau. Tu l'as bien mérité ! On ira courir demain matin.

Je soupire et avale ma première bouchée.

Léa a raison. Il faudra courir demain matin. Pour P-A, je peux bien le faire.

La fête chez le père de P-A a été horrible. D'abord parce que Benjamin y était. Ensuite parce que le souper avait six services. Même si j'avais couru toute la matinée, il est clair que ce repas m'a fait reprendre plusieurs kilos. Je me sens tellement grosse et horrible ! Benjamin me regardait sans arrêt. De plus, je voyais les regards que lui et P-A s'échangeaient dès que je déposais ma fourchette.

J'ai tout englouti et ça a semblé les rassurer. Je l'ai fait pour qu'ils me fichent la paix. J'ai beau essayer de me raisonner, je suis en colère contre P-A. J'ai l'étrange impression qu'il essaie de bousiller tous mes efforts pour sauver notre couple.

– Coralie Boivin-Laplante.

– Pardon, madame ?

– Je t'ai posé une question.

Oh ! Je n'écoutais pas. Je reprends mes esprits, déboussolée, et Mme Lupien poursuit.

– Si j'écris « Le lapin avait les yeux turquoise », est-ce que turquoise prend un « s » ?

Je ne me souviens jamais de la règle des couleurs. Je réponds oui, au hasard. L'enseignante secoue la tête.

– Quelqu'un peut me dire pourquoi Coralie a tort ?

P-A lève la main en me faisant un clin d'œil.

– Parce que les lapins ont les yeux rouges, madame, et rouge prendra un « s ». Coralie était confondue. C'est un pur génie, cette fille, et c'est pour cette raison que je l'aime.

Je sens mon cœur se gonfler. Que j'aime ce garçon prêt à tout pour me défendre !

Mme Lupien ne semble pas apprécier son intervention autant que moi.

– Très touchant, Pierre-Antoine, mais ce n'est qu'une partie de la bonne réponse.

Elle se met alors à expliquer cette fameuse règle ridicule et mes pensées reviennent à toute cette nourriture que j'ai avalée durant la fin de semaine.

Je m'écœure. Cette phrase se répète en boucle, inlassablement, dans ma tête.

Je m'écœure.

Entre mes entraînements, l'aide aux devoirs et mes propres devoirs, je n'ai presque plus de temps pour mes amis. En fait, je ne me garde aucun temps pour eux. J'évite les questions et les problèmes. Lorsque tout sera rentré dans l'ordre, je reprendrai contact avec eux.

J'aime bien aider les élèves lors de l'aide aux devoirs. Chloé me fiche la paix et envoie des messages à ses amies, pendant que je donne des explications à ceux qui désirent s'améliorer. Bien sûr, quelques-uns se foutent de moi, mais la plupart sont fiers de voir qu'ils arrivent à comprendre les exercices lorsqu'ils y mettent les efforts.

Maxime est sans contredit mon préféré. Il travaille très fort et a besoin de beaucoup d'explications. Je me sens valorisée quand il réussit enfin.

Ce midi, il est plus motivé que jamais. Il a reçu ses premiers résultats et il a obtenu une note très acceptable de 76 % en mathématiques. Dans mon cas, je serais déprimée d'obtenir un tel résultat, mais pour Maxime, il s'agit d'une réussite et je suis très fière de l'avoir aidé.

– Je n'ai jamais eu plus de 50 %. J'ai augmenté de 26 % grâce à toi...

Mes notes ont chuté. Je suis moins concentrée durant mes cours. Je ne pense qu'à la nourriture. J'étudie moins, puisque je vais courir souvent.

Ma mère m'a privée de sorties les soirs de la semaine. Elle ne sait pas que je pratique le jogging. Elle croit que je vais voir mes amies ou P-A. Je lui mens de plus en plus souvent.

Maxime m'aide à me sentir intelligente. Je crois que je vais devenir une enseignante de mathématiques plus tard. Il faudra que je commence à y réfléchir, puisque je termine mon secondaire dans un an et demi. C'est tellement angoissant quand j'y pense. Je dois obtenir de meilleurs résultats. Je vais travailler plus fort encore.

Je suis toujours fatiguée. Je me couche parfois dès mon retour de la course, j'ai à peine l'énergie pour prendre une douche.

Il faut que j'en fasse plus. Je délaisse mes amis. Je me trouve toujours aussi grosse et laide, malgré mes kilos en moins. Je travaille dur, je m'épuise, mais ce n'est pas suffisant. Comment vais-je faire pour devenir celle que j'aimerais être ?

Il me faudrait changer de vie.

Chapitre VIII

Du fil à retordre

BENJAMIN m'observe avec dédain. Je me cache derrière ma serviette.

– Tu es vraiment devenue trop maigre. Cet été, je te trouvais mince. Maintenant, tu es carrément rachitique. Tu manges bien, au moins ? Ou tu continues de mentir à tout le monde en pensant que personne ne se rend compte de rien ?

Je ne lui réponds pas. Il ne mérite pas une seconde de mon attention. Toutefois, il se donne bien du mal pour que je le remarque. Quelle calamité ! À chaque entraînement, c'est la même chose. Il se moque de moi sans arrêt et je le fuis.

– Tu sais, je m'inquiète pour l'équipe. Il est important d'être musclé pour être un bon nageur et tes jambes ressemblent à des poteaux de galerie.

C'est plus fort que moi, je réplique :

– Excuse-moi de ne pas avoir des jambes fortes et poilues comme tu les aimes !

Il ouvre la bouche, mais aucun son n'en sort. Ses yeux expriment tout son mépris.

– C'est vraiment étonnant que mon cousin soit amoureux de toi.

– Tu es jaloux ? Tu préférerais sans doute qu'il soit amoureux de toi !

Il secoue la tête avec arrogance et s'éloigne de moi. Mélina se jette sur lui et ne lui laisse aucune chance de s'enfuir.

Mais qu'est-ce qui me prend? Je ne me reconnais pas. D'accord, Benjamin m'énerve, sauf que cela ne me donne pas le droit de me moquer de son homosexualité. J'ai honte de moi.

Toutefois, il le mérite, puisqu'il s'est moqué de mes jambes et de ma taille. Quel idiot! Il ne connaît rien aux filles! Je ne suis pas trop maigre. Tous les gars normaux aiment les filles minces. Mais lui, il n'est pas normal...

Ça y est, je recommence. J'ai des préjugés, moi? Non. Ce n'est que parce qu'il s'agit de Benjamin. J'en ai assez de lui. Il va sans doute me laisser tranquille, maintenant.

Néanmoins, je me sens coupable.

L'entraîneur annonce le début de l'échauffement. Enfin! Pendant les entraînements, je ne pense à rien. Mon cerveau est devenu un véritable tortionnaire!

– C'est dégoûtant! Francis a mangé une queue de castor à l'aréna. Il y a au moins 400 calories dans cette pâtisserie.

Chaque fois que je vais chercher mes pilules coupe-faim chez Léa, elle me fait la liste des mauvaises habitudes alimentaires de sa famille et de son copain. Elle attache une importance excessive à ce sujet. Elle est capable de me faire l'inventaire complet du contenu du réfrigérateur chez elle, incluant le nombre de calories par portion. Elle m'épuise à la longue.

Je fais mine de m'y intéresser, puisqu'elle m'offre les pilules à un prix d'amie. Elle poursuit :

– Il a gâché son entraînement complet en trois bouchées. C'est idiot, non ?

Je l'approuve avec enthousiasme. Elle secoue ses cheveux noirs en soupirant.

– Heureusement, toi, tu me comprends. Et puis ? Tu as perdu tout le poids que tu souhaitais perdre ?

– Pas encore.

Elle plisse les yeux.

– Pourtant, j'aurais cru. Tu me sembles même plus mince que l'an passé. Combien pèses-tu ?

Mon amie m'observe, les lèvres pincées. Je ne lui réponds pas. En fait, je n'ai aucune idée de mon poids et je m'en balance. Tout ce qui m'intéresse, c'est mon ventre qui me dégoûte toujours autant.

– C'est difficile de juger combien tu as perdu de kilos, avec ton gros chandail. Pourquoi as-tu recommencé à porter tes vieux vêtements ?

Je hausse les épaules, même si je connais la réponse à sa question. Léa ne comprendrait pas. Elle maigrit pour se sentir belle et montrer son corps. Moi, plus je suis mince, plus j'ai envie de me cacher.

Comme je ne lui réponds pas et que la curiosité semble la tenailler, elle saisit mon chandail et le soulève. Elle tapote mon ventre sans gêne. Je demeure sous le choc durant quelques secondes avant de la gifler et de m'éloigner d'elle.

Elle lâche un cri indigné. Des larmes coulent sur ses joues.

– Lili, tu m'as fait mal.

La panique me voile les yeux et je m'éloigne d'elle en me tenant le ventre. Comment a-t-elle pu oser me toucher ? Ma respiration s'accélère.

Léa s'approche de moi. J'essaie de me calmer, mais je n'y parviens pas. Qu'est-ce qui me prend ? J'ai l'impression que je vais lui sauter à la figure.

– Ne t'approche pas de moi !

– Lili, qu'est-ce qui te prend ?

Je l'ignore. Je comprends que Léa ne m'a pas attaquée et qu'elle voulait simplement voir mon ventre, mais je me sens prise au piège. Il faut que je sorte d'ici ! Je mets le contenant de pilules dans mes poches et je m'enfuis en courant.

⁂

Sandrine m'attend à ma case. Elle a les joues rouges et le regard surexcité. Même qu'elle sautille sur place. Mais qu'est-ce qu'elle a ? Dès qu'elle m'aperçoit, elle se jette sur moi et me met pratiquement de force une feuille dans les mains.

– Lis ça ! Vite ! Dis-moi ce que tu en penses.

Je défroisse le papier en silence alors qu'elle piaille, mais je ne l'écoute pas.

De: Guillaume Vachon

À: Sandrine Nantel

Objet: Je veux sortir avec toi

Salut beauté !

```
Je pense qu'on a assez niaisé. Que
dirais-tu qu'on sorte ensemble?
Bye!
Guill.
```

Je retourne la feuille, pour voir s'il n'y a rien d'autre. Juste ça? Même sa signature est ennuyeuse. « Guill. », c'est quoi ce nom? De la paresse? Il aurait été trop long d'écrire son nom au complet? Sandrine piétine.

– Qu'en penses-tu?

Quoi lui répondre? Que je pense que Guillaume ne s'est pas trop donné la peine d'être « romantique »? Que je suis heureuse que P-A ait de l'imagination? Que je ne comprends pas ce qui l'emballe dans ce mot sec? D'accord, il veut sortir avec elle, mais...

Zut! Elle est trop emballée, je ne peux pas lui faire ce coup-là!

– C'est super, Sandrine! Il est temps qu'il bouge!

Elle me saute dans les bras en criant. Je lui tapote le dos avec le maximum d'enthousiasme que je peux.

Même Pierrick s'est donné la peine d'essayer d'écrire des poèmes. Une histoire nulle aurait été mieux que ce mot « droit au but ». Je m'efforce de sourire. Sandrine m'entraîne avec enthousiasme vers la classe de français. Elle s'exclame sur le fait que nos amoureux sont des meilleurs amis tout comme nous. Si Évelyne entendait son discours, elle en ferait sans doute de l'urticaire, mais je me tais. Chacun a droit à ses moments de bonheur.

~

Je m'en doutais. Évelyne est furieuse.

– Mon frère n'est pas amoureux d'elle ! À quoi il joue ?

– Je ne sais pas.

J'aimerais bien croire que Guillaume aime Sandrine, mais tout comme Évelyne, je n'y arrive pas. Il y a trop longtemps que je le vois agir pour savoir qu'il s'amuse avec elle. D'ailleurs, sans aucun égard pour elle, il ne cesse de se vanter que Mme Lupien, notre jeune et jolie enseignante de français, ne voit que lui. Il invente des scénarios dans lesquels elle se frotte contre lui en jouant les aguicheuses.

Sandrine rigole en se collant contre lui.

– Toutes les filles sont sous ton charme !

L'attitude de mon amie me rend mal à l'aise. Elle minaude et roucoule en frétillant contre Guillaume, alors que celui-ci se pavane comme si mon amie était une parure qui le met en valeur. Et il continue de jouer les charmeurs sans se soucier de Sandrine.

Comment se fait-il qu'elle ne voie rien ?

Évelyne est tellement dégoûtée par leur attitude que j'ai eu peur qu'elle ne vomisse sur l'épaule de Pierrick. P-A, visiblement pas plus à l'aise que moi, lui lance une boutade :

– Arrête de te vanter ! Mme Lupien reluque plutôt mes incroyables biceps !

J'éclate de rire. P-A est maigre comme un clou. Il a autant de biceps qu'une branche d'arbre.

Benjamin me lorgne.

– Tu es presque aussi musclé que ta blonde.

Je fais mine de rigoler, mais Guillaume m'empoigne le bras.

– C'est vrai que Lili est…

Il s'arrête et m'observe. Il tient toujours mon bras.

– Zut ! Lili ! Ce que tu es maigre !

Je me libère de sa poigne avec rage.

– J'ai toujours été maigre !

– Oui, mais au moins, avant, tu mangeais comme tout le monde !

Il revient à la charge et tente de faire le tour de ma taille avec ses mains. Je le gifle. Guillaume s'éloigne et me lance un regard incrédule en se tenant la joue.

Tous les regards sont posés sur moi. Personne ne semble comprendre ma réaction. Je suis sous le choc également. P-A essaie de me calmer en me tenant la main, mais je me dégage brusquement. L'animal en moi est de retour. J'ai envie d'attaquer tout le monde.

Qu'ils me laissent tranquille ! D'abord Benjamin, puis Léa. Maintenant, Guillaume… Je devrais être la seule juge de mon propre corps ! Pourquoi me regardent-ils tous ?

J'entends Évelyne chuchoter :

– Depuis quand a-t-elle recommencé à porter ses vieux chandails affreux ?

Je me moque qu'ils me trouvent trop maigre ou qu'ils n'apprécient pas mes vêtements. Je hais être le centre de leur attention. J'ai envie de pleurer. Je les déteste de me regarder. De quel droit se permettent-ils de me juger ?

Je sais que ma réaction est exagérée, mais je ne peux la contrôler. Malgré moi, des larmes coulent sur mes joues. Je m'enfuis vers la salle de toilette pour m'y enfermer et pleurer à ma guise.

Puis, un calme plat m'envahit. Étrange. Une absence d'émotion. Je me débarbouille les yeux et m'observe quelques secondes dans le miroir, comme si je dévisageais une inconnue. Ce visage triste et émacié est-il vraiment le mien ?

Évelyne me rejoint, sans dire un mot. J'apprécie sa présence, mais surtout, son silence. Elle a envie de me gronder, mais elle ne le fait pas.

J'ai une mine affreuse. Les traits tirés. Les yeux cernés. Les cheveux en bataille. Je ne me maquille presque plus depuis des semaines. Je porte des vêtements dans lesquels on ne distingue aucune de mes formes féminines.

Mais qu'est-ce qui ne va pas chez moi ? Mes amies aiment se mettre en valeur. Elles portent de jolis vêtements pour attirer les regards et, moi, je préfère dissimuler mon corps. Suis-je folle ? Je sens les larmes revenir. Évelyne me prend dans ses bras.

– Dénonce Marc. Cette histoire te pourrit la vie !

Ces simples mots qu'elle me murmure déclenchent le déluge.

– Je ne peux pas.

P-A agit de manière étrange avec moi depuis ma crise. J'ai tenté de lui expliquer que j'avais réagi malgré moi et que je regrette d'avoir giflé Guillaume, mais dans ses yeux, je lis le désarroi. Je ne peux pas lui en vouloir, je suis moi-même passablement déboussolée. Certaines de mes réactions me font peur.

Évelyne revient régulièrement sur le sujet. Elle considère depuis le début que je devrais dénoncer Marc. Seule la psychologue de l'école a été mise au courant jusqu'à présent, et elle n'a pas pu accomplir de miracle, puisque je refuse d'aller plus loin dans mes démarches. J'ai beaucoup trop peur.

Que se passera-t-il lorsque mes parents seront mis au courant de cette histoire ? Qu'arrivera-t-il à partir du moment où tout le monde connaîtra les détails de mon agression ? On me jugera. On me mettra de côté. Je me sens incapable de me mettre à nu de cette façon.

De plus, j'ignore quelles seront les conséquences pour Marc. J'ai peur que tout cela ne serve à rien. Il est trop tard, le mal est fait. Je pourrais toujours empêcher qu'il récidive, mais rien ne m'assure qu'il comprendra la leçon. Il m'a toujours donné tous les torts.

Et s'il cherchait à se venger ? À m'humilier ? À me détruire ?

J'ai donné toutes ces raisons de ne pas le dénoncer, mais Évelyne les repousse toujours avec le même argument : « Tu ne dois pas le laisser gagner ! »

Gagner ou perdre. Évelyne ne comprend pas qu'il ne s'agit pas d'une lutte pour le pouvoir. Peut-on se battre contre un ouragan ? On ne peut que ramasser les dégâts une fois que la tempête s'est calmée. J'ai perdu une partie importante de moi, ce soir-là, et je ne la regagnerai pas en accusant Marc. Il me faut la reconstruire. La lutte, elle est en moi.

Si seulement je pouvais oublier cette soirée. Mon cerveau collabore, mais mon corps se souvient. Dès que P-A me touche, dès qu'une main se pose sur moi, je réagis. Je mange le moins possible pour camoufler mon ventre, encore témoin de la souillure que Marc a laissée sur moi. Rien ne fonctionne vraiment.

P-A me regarde de ses yeux tristes et j'ignore comment je devrais agir. Je préfère fuir en attendant de trouver une solution.

Chapitre IX

Filer un mauvais coton

MA MÈRE entre dans ma chambre alors que je suis sur le point de m'endormir. Elle ouvre la lumière et s'assoit sur mon lit. Elle met sa main sur mon épaule et elle commence à tripoter mon bras.

Je me rebiffe.

– Hé! Qu'est-ce que tu fais?

Je m'assois et m'éloigne d'elle. Son regard se perd sur mes cuisses. Sans gêne, elle m'observe.

– C'est vrai? Tu ne manges que du céleri pour dîner? Tu jettes les lunchs que je te prépare?

Je n'y crois pas! Évelyne a tout dévoilé à sa mère qui l'aura répété à la mienne! J'espère qu'elle a su tenir sa langue au sujet de Marc.

Je lève la tête et fixe ma mère dans les yeux.

– Évy est une menteuse!

– Laisse faire Évy, elle n'a rien dit. Ne change pas de sujet de toute façon. Tu jettes les lunchs que je te prépare? Guillaume a dit que tu ne manges que du céleri pour le dîner.

Alors, c'est Guillaume. Pour se venger!

– Guillaume ne comprend rien. Il est idiot.

– La vérité, Coralie. Dis-moi simplement la vérité et laisse les jumeaux en dehors de notre discussion.

Je fulmine. Je voudrais mentir, mais j'en suis incapable. J'adoucis donc la vérité.

– Je manque de temps pour manger à cause de mes entraînements et les midis d'aide aux devoirs.

– Dans ce cas, je parlerai à tes enseignants pour que tu n'en fasses plus !

– NON ! Tu n'as pas le droit de décider à ma place ! Ces activités sont les seuls moments où je me sens à peu près heureuse.

Ma mère répond d'une voix tremblante :

– Oh ! Oui ! J'ai tous les droits. Tu es ma fille. Tu t'es vue ? Je refuse que tu poursuives tes cours de natation tant que tu n'auras pas repris du poids. C'est malsain de ne pas manger…

On jurerait qu'elle va se mettre à pleurer. Elle se ressaisit, se lève et, juste avant de sortir, elle me lance :

– Les jumeaux vont te surveiller et me rapporter tout ce que tu manges. Plus de piscine ni d'aide aux devoirs. Compris ?

Plus de natation ? Elle ne peut pas me faire ce coup-là, quand même. Mon père a payé les frais d'inscription pour l'année. Je lui lance mon oreiller, mais il tombe au pied du lit.

– Tu ne peux pas m'empêcher de nager !

Elle m'observe, impassible.

– J'ai tous les droits quand la santé d'un de mes enfants est en jeu.

– Papa a payé les frais. Il y a une compétition le mois prochain !

– Aucune importance, ta santé passe avant tout.

– Mais je suis en santé. Qu'est-ce que ça peut faire si je ne mange que du céleri pour dîner? Maman, j'ai besoin de nager!

Elle ferme la porte, me laissant seule avec mes larmes de désespoir.

C'est la guerre!

⁂

J'ai réussi à éviter Guillaume et Évelyne toute la journée. Je ne tolère que la présence de Sandrine et celle de P-A. Sandrine m'a offert un muffin aux carottes. Pour lui faire plaisir, j'en ai pris une bouchée devant elle. Je me suis sentie mal tout de suite. Surtout que je n'arrêtais pas de penser que j'allais peut-être rater mon entraînement de natation.

Alors, je n'ai pas mangé de la journée. Pas même mon céleri habituel. J'ai tout jeté dans la poubelle, même le plat de plastique et le sac à lunch.

J'ai dit à Sandrine que son muffin était délicieux, mais je l'ai jeté avec mon lunch. A-t-elle seulement idée du nombre de calories qu'il contient? Il y a des limites. Léa me comprendrait parfaitement.

Comme seuls Guillaume et Évelyne sont au courant que je n'ai plus le droit de nager, je fais tout en mon pouvoir pour me faufiler dans le vestiaire. Après tout, même si Évelyne me rejoint, que peut-elle faire?

J'enfile mon maillot de bain et me rends à la piscine. Je rejoins Benjamin, un sourire aux lèvres. Pour une fois, sa présence me rend heureuse. Je lui parle sans pouvoir m'arrêter. De tout et de rien. Il est méfiant, mais je ne m'en soucie pas. Mon cœur cogne fort dans ma poitrine et je me sens étourdie. Je déteste désobéir à ma mère, mais je hais encore plus être privée de natation.

Mon entraîneur me fait un signe.

– Coralie, je peux te parler un instant ?

Oh ! J'espère qu'il ne me parlera pas de mon poids, lui aussi ! Il m'entraîne à l'écart.

– Ta mère m'a téléphoné. Elle m'a expliqué la… situation et…

– PARDON !

Elle n'a pas fait cela ? Quelle honte ! Je la déteste !

Mes yeux se brouillent et mon pouls s'accélère. J'ai le souffle court. Je me mets à crier que ma mère est une folle et qu'elle n'a pas le droit de m'empêcher de pratiquer le sport que j'aime. Je ne sais plus ce que je dis. Je suis étourdie, je…

Je sens deux bras m'envelopper, puis plus rien. Je reprends mes esprits. Je suis couchée sur la céramique froide. Je meurs de froid. Des larmes coulent toutes seules sur mes joues. Une plainte étrange sort de mon ventre. Benjamin me prend dans ses bras et quelqu'un dépose une serviette sur moi. Je n'ai plus de force. Que se passe-t-il ? Je voudrais hurler à Benjamin de me sortir d'ici, mais pour aller où ?

L'entraîneur ouvre la porte du vestiaire des hommes et Benjamin s'y engouffre. Je ferme les yeux. Nous circulons dans les couloirs de l'école et j'entends des voix. On chuchote sur mon passage.

– Qu'est-ce qui s'est passé ?

– Elle est blessée ?

– Non, elle a juste perdu connaissance pendant l'entraînement.

Mélina va sans doute se faire un plaisir de raconter combien je suis folle. Qu'est-ce qui m'a pris de tempêter de cette façon ?

– Pas étonnant, dit quelqu'un d'autre, elle ne mange plus que du céleri. Vous avez vu comme elle est maigre ?

Je sens la serviette qui remonte sur mes épaules, puis Benjamin qui se raidit.

– Ce n'est pas un spectacle ! Dégagez… Lili a eu une chute de pression pendant l'entraînement, il n'y a rien là !

Je lui souffle un « Merci ». Je me cache le visage sur son épaule nue.

Suis-je à l'article de la mort ? Je vais mourir, comme ça, uniquement parce que ma mère refuse que je nage ? Parce que je n'ai presque rien avalé de la journée ? Je ne veux pas mourir !

– Maman…

Je pleure. Benjamin me chuchote : « Ça va aller », puis il me dépose sur un lit minuscule. Je suis à l'infirmerie de l'école. En maillot de bain, en plus. La porte se ferme sur Benjamin, M. Roberge, l'infirmière et moi. Benjamin me tient la main. L'infirmière lui demande de sortir, mais mes pleurs augmentent et il lui demande la permission de rester alors que je m'accroche difficilement à lui.

J'ai tellement peur. Je ne veux pas mourir entourée de ces gens que je connais à peine. J'ai besoin que Benjamin reste. Il ressemble un peu à P-A. Si je me force, je peux imaginer que c'est mon amoureux qui est à mes côtés. Je n'en suis malheureusement pas rassurée.

L'infirmière et mon entraîneur discutent, puis on me tend une pomme. Étrangement, je retrouve une dose d'énergie et je dévore le fruit en deux secondes. Benjamin m'aide à m'asseoir.

L'infirmière me remet un mélange qui sent la vanille. Le liquide blanchâtre ne m'inspire pas.

– C'est un mélange protéiné. Bois.

Benjamin m'encourage d'un signe de tête. J'ai mal au cœur. La tête me tourne. Je ne suis pas certaine que je vais pouvoir avaler ce breuvage. Benjamin saisit le verre.

– On le partage, d'accord ?

Je hoche la tête. Il prend une gorgée puis il me remet le verre. J'en avale une petite portion puis je le lui redonne. C'est dégoûtant, mais Benjamin fait mine d'aimer le goût de vanille. Nous nous échangeons le mélange jusqu'à ce qu'il n'en reste plus. Je me sens mieux. Benjamin soupire.

– Tu m'as fait peur !

Des éclats de voix se font entendre.

– C'EST MA MEILLEURE AMIE ! JE VEUX LA VOIR !

Évelyne. Prête à tuer pour me voir, semble-t-il. L'infirmière sort de la pièce et lui en interdit l'accès. Elle lui conseille fortement de retourner en classe. En classe ? Les cours ont déjà repris ? Quelle heure est-il ?

Benjamin s'assoit à côté de moi. Nous sommes seuls.

– Super ! Je manque le cours de mathématiques !

Quel égoïste ! Il me semblait aussi que Benjamin Lepage ne pouvait pas être aussi gentil.

– Contente de constater que ma santé te tient à cœur.

– Elle me tient à cœur aussi. Je reste dans l'unique but que ma présence soit une punition suffisante pour que tu manges mieux. Penses-y, chaque fois que tu ne mangeras pas, je vais rester à tes côtés jusqu'à ce que tu succombes… chocolat, gâteau, poutine, même ! Obligatoires, sinon, je te colle aux fesses !

Je rigole.

– J'ai toujours su que tu étais un vrai tortionnaire. Et P-A, quel crime a-t-il commis pour que tu le suives partout ?

– Il est laid ! C'est suffisant pour que je le torture toute sa vie, tu ne crois pas ?

J'éclate de rire.

– P-A est le plus beau gars du monde !

– Il fait honte à ma famille.

Même si sa blague n'est pas si drôle, je ris sans pouvoir m'arrêter. Tellement que j'ai mal au ventre. Il poursuit :

– En plus, on dirait qu'il a un ressort dans les jambes quand il marche. Bong, bong, bong…

Benjamin imite la démarche de P-A en l'exagérant. C'est vrai que mon amoureux a une démarche légèrement sautillante. Benjamin ébouriffe ses cheveux bruns parfaitement coiffés tout en continuant son cirque. Son imitation est parfaite. Mis à part le fait qu'il est en maillot de bain et qu'il est musclé, on jurerait que P-A est à mes côtés.

Je cesse de rire et m'attendris aussitôt. Benjamin se calme.

– Il t'aime beaucoup, tu sais.

Je baisse la tête, trop émue pour parler. Il s'approche de moi et me prend les mains.

– Fais attention à toi. Pour lui. Fais attention à toi.

Je serre sa main dans la mienne.

– Merci, Ben.

Il me fait un clin d'œil.

– Ne me remercie pas. C'est uniquement pour P-A que je suis ici.

Je lui donne une tape sur le bras.

– Il me semblait bien aussi que tu ne pouvais pas être aussi gentil avec moi.

– Tu oublies que je suis un tortionnaire !

Benjamin commence à me chatouiller. J'essaie de me défendre, mais je n'y arrive pas. Mes cris et nos rires alarment l'infirmière qui, de son regard sévère, nous oblige à cesser notre jeu. Benjamin me regarde en retenant un fou rire. Comme il est bon de rire de cette façon. Il me semble qu'il y a un siècle que je n'ai pas eu autant de plaisir.

Ma mère arrive en trombe.

– Coralie Boivin ! Si tu penses qu'en te privant de nourriture, tu vas te sauver de tes cours, tu te trompes !

Mon rire se brise instantanément. Quand elle n'utilise que le nom de mon père dans mon nom, je peux m'attendre au pire. L'infirmière donne une brochure à ma mère.

– Madame, l'anorexie est une maladie très grave et votre fille doit consulter un médecin tout de suite.

L'anorexie? Elle se moque de nous! Le visage de ma mère devient livide. Je soupire.

– Je ne suis pas a-no-re-xi-que.

Ma mère me fixe.

– As-tu mangé ton lunch ce midi?

Je ne réponds pas. Elle se tourne vers Benjamin et ce dernier semble se chercher une cachette pour disparaître.

– Je crois que je l'ai vue manger un muffin aux carottes, mais je ne suis certain de rien.

L'infirmière secoue la brochure sous les yeux de ma mère.

– Elle était dans un état lamentable quand elle est arrivée.

Je râle.

– Je vais bien, maintenant. Elle exagère, maman.

Benjamin regarde ses pieds.

– Lili, tu m'as fait peur. Il faut absolument que tu voies un médecin.

Le voilà qui se ligue contre moi à nouveau.

– Mais non. Tu as eu peur pour rien. Je vous jure que je vais bien. Regardez.

Je me lève. Mes jambes sont plus faibles que je ne le croyais. La tête me tourne et je m'accroche au bras de ma mère.

– Où sont tes vêtements?

Une nausée m'envahit et des larmes coulent sur mes joues. Ouf! Je ne me sens pas très bien. Benjamin répond à ma place.

– Au vestiaire.

– Viens, on va t'habiller et on se rend à l'hôpital.

– Non.

Le ton fort de ma voix me surprend. Ma mère fronce les sourcils.

– Le Dr Lavoie va peut-être te prendre.

– D'accord. Je ne veux voir personne d'autre que lui.

Ma mère sort son téléphone portable et appelle mon médecin. Je dois m'appuyer sur elle pendant que nous nous rendons aux vestiaires. Je suis à peu près certaine qu'il ne pourra pas me recevoir. Il est toujours tellement pris. Ça prend des mois pour obtenir un rendez-vous.

– Bonjour, est-il possible de parler au Dr Lavoie ? Il est en consultation, bien sûr. Peut-il me rappeler ? Oui, c'est urgent. Très urgent.

Elle exagère. J'essaie de le lui faire comprendre, mais elle m'ignore.

– Ma fille a perdu conscience à l'école et il semble qu'elle ne se nourrisse plus depuis plusieurs semaines. Dites-lui qu'il faut qu'il la voie, car elle refuse de consulter quelqu'un d'autre. L'infirmière de l'école a parlé d'anorexie.

– MAMAN !

Elle me fait signe de me taire.

– Vraiment ? C'est parfait. Nous serons là dans quelques minutes !

Elle referme son téléphone et me pousse vers le vestiaire.

– Vite ! Il nous attend.

Comment a-t-elle réussi un coup pareil ? Je n'ai pas envie de rencontrer mon médecin !

– Maman, tout cela est ridicule. Je vais très bien. D'accord, j'ai été idiote de ne pas manger ce midi. J'ai compris la leçon. Je te promets que je ne recommencerai plus jamais.

Je dépose ma serviette sur le banc et je sors rageusement mes vêtements de mon sac. Je sens un regard dans mon dos.

– Ma grande, qu'est-ce qui ne va pas ?

La voix de ma mère tremble. Elle pleure. J'essaie de la rassurer.

– Je vais bien, maman, je me tue à te le répéter. Ne t'inquiète pas.

Elle secoue la tête. Elle ne me croit pas, cela est évident. Je ne suis pas certaine de me croire, moi non plus.

Chapitre X

Ne tenir qu'à un fil

MON MÉDECIN m'observe. Il ne dit rien. C'est ce qui me plaît chez lui. Il ne juge pas et ne fait pas la morale. Il me connaît depuis toujours. Quand j'étais petite, j'ai eu la méningite et c'est lui qui m'a soignée. Depuis, il est devenu notre médecin de famille et il n'y a qu'en lui que j'ai confiance.

– Alors, Coralie, comment va ta vie ces temps-ci ?

Enfin, quelqu'un qui ne me demande pas ce que j'ai mangé ou combien je pèse.

– Pas si mal.

– Et l'école ? Tes notes sont bonnes ?

– Excellentes, comme toujours.

– Tout va bien à la maison ?

– Ma sœur m'énerve.

– C'est normal. Et tu as un amoureux ?

Je souris et fais signe que oui.

– Relations sexuelles ?

Mon sourire disparaît. Je réponds un petit non. Il relève la tête. Il va sans doute me dire que je ne suis pas très dégourdie pour mon âge.

– Mais c'est très bien. Tu dois attendre d'être prête. Très bien.

– Toutes mes amies le font.

Il dépose son crayon.

– Toutes ? Vraiment ?

En fait, non. Sandrine n'a eu qu'une seule expérience et c'était contre son gré.

– Tu sais, Coralie, il y a des bébés qui marchent à 10 mois et d'autres à 16 mois. Chacun son rythme. Ton copain fait pression sur toi ?

Je secoue la tête. Il insiste.

– Tu es bien certaine ?

– P-A est le gars le plus respectueux que je connaisse.

– Mais tu sens qu'il voudrait plus, c'est cela ?

– Mais non…

– Alors, pourquoi cette déception quand tu me dis que tu n'as pas de relations sexuelles ?

Pourquoi me parle-t-il de cela ? Je hausse les épaules en espérant clore le sujet. Il m'observe encore. J'ai souvent l'impression qu'il lit en moi. Peut-être même qu'il comprend quelque chose qui m'échappe.

Il se lève et m'entraîne vers la salle de consultation. Ouf ! Le moment crucial. Combien je pèse ? Pourtant, il me fait signe de m'asseoir sur le lit. Il me demande de soulever mon chandail. Je refuse. Je replie les bras sur ma poitrine. Il n'en fait pas de cas et dépose son stéthoscope par-dessus le tissu.

– Si je comprends bien, tout va bien avec ton copain ?

– Oui.

– Et avec tes parents ?

Il me fait signe de me coucher. Il soulève mon chandail lentement en me regardant droit dans les yeux. Mon corps réagit. Je sens les muscles de mon ventre se contracter et je sursaute dès que sa main se pose sur moi. Je fais l'impossible pour conserver un semblant de calme. Ce n'est que mon médecin après tout. Il vérifie simplement mon estomac, mon foie et mes intestins. Ce n'est pas la première fois, quand même.

– Ma mère me gronde souvent ces temps-ci.

Ma voix tremble. Il s'en est rendu compte, car il cesse de m'examiner. Je suis mal à l'aise. Il marmonne, puis il dépose son stéthoscope.

Nous retournons nous asseoir dans son bureau.

– Coralie, je suis obligé de te dire que je suis très inquiet pour toi. Tu me sembles être en choc post-traumatique.

Quoi ? De quoi parle-t-il ?

– Je crois que tu as cessé de te nourrir afin de lancer un cri d'appel à l'aide.

– Absolument pas !

Ma réaction me surprend. J'ai envie de lui cracher à la figure.

– L'anorexie est une maladie très grave. Elle provient d'un mal-être profond et du besoin de contrôler sa vie d'une quelconque façon. Si tu continues sur cette voie…

Il se tait et attend que je réagisse. Je serre les dents en évitant son regard. Je ne veux pas encore faire une folle de moi en piquant une autre crise de colère.

– Très bien. Je vais te poser une question : as-tu vécu un traumatisme sexuel ?

Comment a-t-il fait pour le savoir ? Je nie, mais des larmes me trahissent. Quelque chose en moi refuse de se taire. Je lutte contre cette voix, je ne veux pas parler.

– Ton copain t'a fait du mal ? Il t'a forcée ?

Je m'entends répondre, à ma grande honte.

– Non. Ce n'est pas P-A. Lui, il est merveilleux et moi, je suis nulle ! Je suis salie, maintenant... mais ce n'est pas lui qui m'a fait ça.

– Qui alors ? Un adulte ? Tu sais qu'il y a des ressources pour t'aider ? Tu n'as pas à te cacher.

– Non, un gars de mon école. J'en ai parlé à la psy de l'école et ne veux plus en parler. PLUS JAMAIS ! Je refuse que mes parents le sachent. Il y a déjà trop de gens qui sont au courant. J'aimerais que P-A l'ignore. Je veux juste que ça ne soit pas arrivé. Je voudrais faire l'amour avec P-A parce que lui, il est gentil, et parce que tout le monde le fait, mais ça me dégoûte. J'ai peur qu'il me laisse parce que je ne suis pas assez dégourdie, mais je n'arrive pas à me calmer lorsqu'il me touche.

Voilà. La digue est ouverte. Les pleurs libérateurs fusent. Ce que je dis n'a ni queue ni tête. Le Dr Lavoie m'écoute attentivement et je déballe tout. Je parle de mon ventre mou et puant. Je parle de Marc, de ses mots méchants. D'Évelyne qui fait l'amour. De P-A qui est patient avec moi. De mon attitude envers lui. De ma peur de le perdre. De Benjamin qui me tape sur les nerfs. De Léa et ses pilules pour couper la faim. Je les dépose même sur le bureau. La voix qui veut vivre a pris le dessus.

Puis, je n'ai plus rien à dire. Les larmes cessent et je sens le calme m'envahir. Pas le vide habituel, juste le calme et une certaine fatigue.

– Très bien, Coralie. Il est évident que cette histoire t'affecte beaucoup, mais te priver de nourriture n'effacera pas ce qu'on t'a fait. Tu as besoin d'aide. Je connais une excellente psychologue.

– Une psy ? Je ne suis pas folle !

– Non, tu n'es pas folle. Tu as simplement besoin d'aide. La D^re^ Dallaire pourra t'aider.

– Est-ce que je serai normale, un jour ? C'est tout ce que je souhaite.

– Tu es déjà normale. Ton corps réagit à un traumatisme et la solution que tu as choisie est très dangereuse. Tu es en terrain glissant et tu vas droit vers de graves problèmes alimentaires, tel que l'anorexie ou la boulimie, si tu ne reçois aucune aide.

J'acquiesce. Il faut que je me rende à l'évidence. Je n'y arriverai jamais toute seule.

Dès mon retour à la maison, mon angoisse me reprend. Mon père, Sophie et leur fils hyperactif sont déjà là et ils préparent un repas hypercalorique qui sent le gras à des kilomètres à la ronde. Ma mère s'écroule sur une chaise.

Je m'enfuis dans ma chambre pour avoir un peu de calme. Ma sœur me rejoint et elle me pique une crise de nerfs en me reprochant de l'avoir mise dans une situation délicate.

– On ne me parlait que de toi, aujourd'hui. Il y a des tas de rumeurs. C'est vrai que tu as été violée ? C'est ce qu'on raconte à l'école. Que l'an dernier, P-A s'est battu avec un gars parce qu'il t'avait violée.

– Cette histoire ne tient pas debout !

Je me mure dans le silence. Elle menace d'en parler à maman.

– NON !

Mon cri est sorti tout seul. Encore l'une de ces fichues réactions incontrôlables.

– Je t'en prie, n'en parle pas à maman.

Ma sœur pince les lèvres.

– Alors, c'est bien vrai.

J'abdique.

– Non. Enfin, oui. Cette histoire est partiellement vraie, mais je n'ai pas été violée.

Elle ne semble pas me croire.

– Est-ce que c'est pour cette raison que tu as paniqué lorsque je flirtais avec Ben ?

Ma gorge est nouée. Je voudrais me cacher, mais je demeure impassible. Elle s'approche de moi.

– Zut ! Lili. Pourquoi n'as-tu pas dénoncé ce gars ?

– Dénoncer ! Comme si c'était simple.

– En fait, oui, c'est facile. Tu prends le téléphone, tu fais le 911 et tu racontes ton histoire. Le salaud se fait arrêter, on le met en prison et…

Je l'interromps.

– Tu es si naïve ! En prison ? Tu n'écoutes donc pas les bulletins d'information ? On ne l'emprisonnera pas pour si peu. C'était mon copain. J'avais bu. Cette histoire fera tout un tabac pour rien.

– Au moins, il sera puni.

– Puni ? Moi aussi. Que penseront papa et maman ? Maman m'avait interdit de revoir Marc et tu sais très bien que je n'ai pas le droit de boire de l'alcool.

Anaïs acquiesce. Évelyne croit que mes parents n'en feront pas de cas. Sa mère lui laisse faire tout ce qu'elle veut.

Ma sœur réfléchit tout haut.

– Il y a sans doute une solution.

– Ouais, je vais consulter une psy.

– Tu as pensé aux organismes d'aide aux personnes victimes d'agressions sexuelles ? J'ai vu des annonces dans les toilettes de l'école.

Encore une fois, son immaturité me sidère. Je lui réponds d'un ton ironique.

– Super ! Maman ne se posera sans doute pas de questions lorsque je lui demanderai de me reconduire à cet endroit.

Anaïs s'assoit à mes côtés, désemparée. Je lui prends la main et j'essaie de la réconforter.

– Ne t'inquiète pas. Je n'ai pas besoin d'aide.

Elle se lève brusquement, comme si elle venait tout juste d'être piquée par un serpent.

– Bien sûr, ironise-t-elle. C'est évident ! Tu es toujours si forte !

Elle secoue ses cheveux noirs et me lance un regard rempli d'incompréhension avant de sortir.

Elle est si jeune. Elle ne peut pas comprendre.

Chapitre XI

Prendre sur soi

MON RETOUR À L'ÉCOLE se déroule plus en douceur que je ne l'aurais cru. Les gens semblent déjà avoir oublié mon « accident ».

Benjamin m'accroche au moment où je sors de la bibliothèque.

– Comment s'est passée ta visite chez le médecin ?

– Bien. Puisque je vous dis que je vais bien. Personne ne me croit jamais. On me traite comme si j'étais malade ! C'est hallucinant, Ben.

– Pas étonnant, puisque tu passes ton temps à mentir. Est-ce qu'on t'a prescrit un traitement contre les mensonges ?

– Tu te trouves drôle ?

– Assez, oui.

– Tu ne l'es pas du tout !

Il proteste :

– Tu n'as aucun sens de l'humour.

– Pas lorsque l'on se moque de moi. Désolée, je déteste les blagues qui m'humilient !

– Je crois plutôt que tu me rejettes à cause de mon orientation sexuelle. Guillaume se moque de toi sans arrêt et tu le trouves amusant.

– Guillaume n'est pas sérieux. Il n'est ni méchant ni vantard.

– Tu veux rire? Guillaume est excessivement prétentieux. Tu me détestes alors que je ne t'ai jamais rien fait.

– Guillaume n'est pas prétentieux et je ne te déteste pas. Je te trouve insupportable, ce n'est pas du tout la même chose. J'ignore d'ailleurs pourquoi je m'entête à te parler.

– Parce que je suis le gars le plus intéressant à part P-A et que tu le fuis comme la peste.

– Je ne fuis pas P-A comme la peste!

– Dis-moi, vas-tu me contredire pour le restant de tes jours?

– Cesse de dire des absurdités et je vais arrêter de m'opposer à ce que tu dis.

– Tu es très attachante, Lili-la-Lune. Je comprends mieux P-A, maintenant.

– Je ne suis pas attachante et tu ne comprends pas P-A. Tu es gai!

Il éclate de rire et je ne peux m'empêcher de l'imiter. Il me prend amicalement par l'épaule et je me fige de surprise avant de me laisser entraîner.

– Mon cousin a vraiment su choisir sa copine! Tu as de la repartie. J'adore.

Benjamin me fait un compliment? Je dois sûrement rêver!

Évelyne est très heureuse que je consulte une psychologue.

– Elle va peut-être finir par te convaincre de le dénoncer, elle !

Ridicule ! Comme je me détourne d'elle, elle me lance :

– Ça va, je te laisse tranquille. Tu manges avec nous ce midi ?

Je soupire. Ma mère a informé tous mes enseignants de ma « situation ». Je dois donc passer mes heures du dîner à la cafétéria de l'école. Je n'ai pas faim. Mon médecin a conservé mes pilules et Léa a refusé de m'en vendre, mais mon appétit est disparu.

Guillaume m'a amené un plateau de crudité accompagné d'une trempette légère. Il met l'emphase sur le mot « légère » ce qui finit par me convaincre. C'est heureux, puisque ma mère m'a fait un lunch répugnant. Elle n'y a mis que des aliments engraissants. Pas de fruit ni de légume. Ce n'est pourtant pas dans ses habitudes.

Guillaume insiste pour que je mette de la trempette sur mes légumes. Il en étale lui-même sur des carottes qu'il dépose dans une assiette devant moi. Je grogne, mais je ne m'obstine pas trop. Il m'épuise. P-A finit par se lasser.

– Guillaume, Lili n'est pas idiote ! Je crois qu'elle sait encore comment étaler du fromage sur une carotte.

Du fromage ? Je saisis le contenant. C'est du fromage en crème et il n'y a rien de léger dans ce contenant. Je fusille Guillaume des yeux. Celui-ci fait mine d'applaudir.

– Bravo P-A !

Je me sens trahie. L'offense n'est pas si grave, mais le mensonge me fait mal.

Benjamin se lance à la défense de Guillaume.

– C'est ma faute. Je leur ai dit qu'il te fallait des protéines. Guillaume croyait que tu refuserais de manger du fromage.

P-A prend mon parti.

– Je ne crois pas que cela justifie vos mensonges.

Sandrine me sermonne :

– Comprends-nous, on ne sait pas vraiment comment t'aider.

– Laissez-moi tranquille ! Je vais bien, qui va enfin le comprendre ?

Guillaume me tend une carotte.

– Je crois que tu es la seule à te croire.

Sandrine approuve. À mes côtés, P-A se braque contre eux.

– Moi, je la crois.

Guillaume sort soudainement de ses gonds.

– Tu es ridicule, P-A. Vous jouez tous les deux à l'autruche. Il n'y a que vous pour ne pas vous apercevoir que Lili est encore marquée par le mal que Marc lui a fait ! Mais vous préférez ne pas en parler. C'est pathétique !

Benjamin nous observe à tour de rôle.

– Attends un peu. De quoi parles-tu ? Qui est Marc ?

Je me lève, noire de rage.

– Mais raconte-le-lui. Crie-le sur tous les toits ! Tu veux vraiment que tout le monde le sache ? Ça te fait plaisir de te mêler de ce qui ne te regarde pas ?

Guillaume me fixe droit dans les yeux. On jurerait qu'il n'y a que nous deux. En duel.

– Si tu parlais un peu, on ne serait pas obligé de toujours te tirer les vers du nez !

P-A fulmine à mes côtés.

– Laisse-la tranquille !

– Oh ! Oui. Je vais me taire, tout comme toi, et je vais laisser Lili se tuer à petit feu !

P-A est hors de lui. Évelyne intervient.

– Les gars, votre dispute est inutile. Lili ira consulter une psy.

Je me tourne vers elle avec hargne.

– Ferme-la, Évy !

Elle se recroqueville sur elle-même et avale un morceau de pain. P-A m'observe les yeux ronds.

– Tu comptais m'en parler, n'est-ce pas ?

Je reluque mes souliers. Lorsque j'ose enfin poser mes yeux sur lui, son visage exprime une telle douleur que mon cœur se déchire. Il s'éloigne de nous. Benjamin le poursuit. Je me sens misérable. Mes amis demeurent silencieux. Guillaume me tend une carotte et je la saisis avec colère. Je n'ai qu'une seule envie : me cacher dans un endroit où l'on ne me retrouvera jamais.

Dre Lilas Dallaire. Drôle de nom ! Je n'ai pas envie de me confier à cette psychologue. Dr Lavoie me l'a conseillée et il semblerait qu'elle est la meilleure, mais je considère encore que je suis capable de m'en sortir toute seule. Je suis intelligente, forte et inébranlable. C'est moi qui ai tenu le fort lors du divorce de mes parents. Je n'avais que 8 ans. Ma mère pleurait tout le temps. Ma sœur avait besoin qu'on s'occupe d'elle. Et j'étais là. Même quand grand-maman est morte, il y a deux ans, je n'ai pas pleuré. J'ai aidé maman à choisir les fleurs et j'ai même écrit un texte à son intention que j'ai lu à l'église. Je n'ai jamais eu besoin de personne et encore moins de cette fille frêle qui répond à la porte.

Lilas m'invite à m'asseoir. D'emblée, elle me demande les raisons de ma venue.

– J'y suis obligée. Je n'ai pas besoin d'aide.

Elle acquiesce et me demande pourquoi, selon moi, on m'oblige à la consulter. Je hausse les épaules et croise les bras. Elle est assise en Indien sur une chaise de rotin. Elle joue dans ses cheveux noirs et les remonte en un chignon qu'elle coiffe avec son crayon. Elle ne me lâche pas des yeux et attend patiemment que je lui réponde. Et si je ne disais rien ?

Elle pose les mains sur ses cuisses. Elle garde le silence et me fixe. Ses yeux me pénètrent comme des lames de couteau. On jurerait qu'elle utilise un scalpel pour lire mon âme. C'est insupportable.

Je m'avoue vaincue.

– Oh ! Ça va. Ma mère s'inquiète parce que je ne mange pas beaucoup depuis quelque temps.

Elle acquiesce encore une fois et garde toujours le silence. Après plusieurs secondes insoutenables, j'éclate :

– Eh ! C'est ton tour ! Parle ! Je ne vais pas me psychanalyser toute seule !

Elle s'anime.

– Oh ! Je suis désolée. Je croyais que tu n'avais pas besoin de mon aide ! Tu t'en sors bien toute seule, non ?

Sa phrase a le même effet qu'une claque en plein visage ! Je suis déstabilisée. En dix minutes à peine, elle m'a déjà cernée.

Je soupire en ravalant mon orgueil.

– Je ne m'en sors pas bien. La vérité, c'est que je voudrais y arriver toute seule, mais ma vie va dans tous les sens en ce moment. Je voudrais que tout soit comme avant.

– C'est impossible. Rien ne sera jamais comme avant.

– Alors, il n'y a pas d'espoir pour moi.

J'essaie de soutenir son regard, mais il est si perçant que je n'ai qu'une seule envie : m'enfuir. Des larmes coulent sur mes joues. Je n'arrive pas à les retenir. Je voudrais qu'elle cesse de me regarder. Je me sens misérable. Que va-t-elle penser de moi ? Elle parle enfin :

– Comment te sens-tu en ce moment ?

– Stupide.

– Tu te sens laide, n'est-ce pas ? Tu crois que je te juge ?

Je lève les yeux vers elle. Comment a-t-elle su ? Est-elle voyante ? Va-t-elle se mettre à parler avec une voix d'outre-tombe et me passer un message de l'au-delà ?

– Qu'y a-t-il de si laid en toi, Coralie ?

Je voudrais lui dire à quel point je me sens salie depuis que Marc m'a agressée, mais j'en suis incapable. J'ai beaucoup trop honte. Alors, je lui lance une boutade :

– Quoi ? Tu n'arrives pas à le deviner ?

Elle sourit. Je crois que je l'ai surprise.

– Je ne comprends qu'une seule chose : tu es une jolie fille brillante qui se hait profondément et qui refuse de l'aide. J'aimerais t'aider, Coralie, mais il faut que tu l'acceptes.

Je hoche la tête pour signifier mon accord. Que puis-je faire d'autre ?

Elle reprend le crayon qui retenait ses cheveux. Elle les secoue et ils retombent lâchement sur ses épaules.

– Très bien, alors maintenant, dis-moi quelles sont les raisons pour lesquelles tu me consultes ?

Je soupire. Nous voilà de retour à la case « départ ». Cette Lilas est tout un numéro.

Il m'a fallu toute l'heure de la consultation pour lui avouer que je souhaitais apprendre à m'aimer. C'est la seule raison que j'ai pu lui donner. Malgré ma bonne volonté, je n'ai pas osé lui parler de Marc ni de mes problèmes avec P-A.

Je lui ai avoué, à mots couverts, que je me privais de nourriture. Elle a conclu que je me punissais de quelque chose. Mon temps était écoulé.

J'ai tout de suite pris un autre rendez-vous. Il m'a fallu patienter une semaine. Elle souhaite que je réfléchisse à notre rencontre. Elle a terminé en me disant d'approfondir la raison pour laquelle je me punis.

Je n'ai pensé qu'à cela. Est-ce une punition pour ce que Marc m'a fait ? Cette théorie n'a aucun sens et c'est pourtant la seule qui me vient à l'esprit. J'en ai parlé à Évelyne et elle non plus n'y croit pas trop.

– Pourquoi tu te punirais ? C'est Marc qu'il faut punir.

J'aimerais trouver une autre raison, puisque je n'ai pas envie de parler de Marc à Lilas. Elle va me juger. Elle a l'air tellement zen, elle ne pourra jamais me comprendre.

La vérité, c'est que j'ai peur de ses conseils. Évelyne a soupiré très fort quand je lui ai avoué ma crainte.

– Si tu consultes une psy, c'est pour lui raconter tes problèmes, non ? Si tu ne lui parles pas de Marc, alors cette thérapie est inutile.

Mon amie a raison, mais c'est pénible.

Je tremble en frappant à la porte du bureau de Lilas. Il m'a fallu beaucoup de courage pour me rendre jusqu'ici. En chemin, je trouvais mille excuses pour cesser de la consulter. Elle me fait entrer et je m'assois sur le sofa, face à sa chaise de rotin. Elle croise ses jambes et dénoue ses cheveux, retenus par son crayon.

– Tu attaches toujours tes cheveux de la sorte ?

Elle me répond d'un immense sourire.

– C'est la seule façon que j'ai trouvée pour ne pas perdre mes crayons. As-tu découvert pourquoi tu te punis ?

Elle m'observe de ce regard pénétrant qui me met mal à l'aise.

– Non.

Elle délie ses jambes et approche son corps du mien.

– Sais-tu au moins pourquoi tu ne manges presque pas ?

J'acquiesce. Elle se réinstalle confortablement dans sa chaise. Comme elle garde encore le silence, je poursuis en soupirant.

– Je souhaite maigrir.

– Ah ! Je vois. Qu'y a-t-il de bien dans le fait de toujours maigrir ?

– Je veux être belle.

Elle me scrute de la tête aux pieds. Je me sens ridicule. Pourtant, elle sourit.

– Pour qui veux-tu être belle, Coralie ?

Comment fait-elle ? On jurerait qu'elle me gifle avec ses paroles.

– Pour moi, je crois.

Je lis dans ses yeux qu'elle ne me croit pas. Je lui avoue d'une petite voix :

– Pour P-A, mon amoureux.

Son regard s'éclaire. On dirait qu'elle comprend quelque chose. Mais quoi ?

– Tu dois être plus jolie pour combler ses attentes ?

– P-A ne me dira jamais une chose pareille.

– Je ne parle pas de ce qu'il croit, mais bien de ce que tu penses. Tu ne te sens pas à la hauteur, alors tu dois être plus belle.

Une autre gifle ! Son regard me transperce. Je voudrais me cacher, mais rien ne me protégera.

– C'est pour cela que tu te punis ? Parce que tu souhaiterais être une meilleure personne que tu ne l'es ?

J'encaisse le choc. Lilas a raison.

– Je croyais que…

Je m'arrête. J'ai déjà trop parlé, Lilas m'observe.

– Que croyais-tu ?

Après quelques minutes, je lui avoue enfin que j'avais l'impression de punir un garçon qui m'a fait du mal.

– C'est possible. Mais si tel est le cas, c'est que tu te sens coupable de cette blessure. Ce n'est pas lui que tu punis, mais toi.

– Je ne suis pas responsable de ce qu'il m'a fait.

– Le crois-tu vraiment ? Je souhaite que tu y réfléchisses, tu veux bien ?

L'heure est déjà passée. Je sors déçue. Étrangement, je regrette de n'avoir pas eu la chance de lui parler de Marc et de l'agression. L'oserais-je la prochaine fois ?

Chapitre XII

Le soi et le surmoi

SANDRINE s'assied à mes côtés. Elle semble dévastée. Elle ferme le livre que je suis en train de lire.

– Guillaume me trompe ! J'ai vu un message texte dans son portable qui disait : « Je n'ai pas oublié notre baiser de ce midi. Je t'aime. Si tu m'aimes, viens me rejoindre dans le boisé derrière le terrain de soccer à la brunante, ce vendredi. Je te promets de garder le secret… » et c'est signé B.L.

Je cligne des yeux, abasourdie qu'elle fouine dans le portable de Guillaume. Elle me secoue.

– Je suis certaine que ce message est de Mme Lupien, la prof de français. Son prénom est Béa.

– Cette histoire n'a aucun sens ! Mme Lupien a au moins 10 ans de plus que nous.

– Et alors ? C'est possible. Tu connais une autre fille qui a les initiales B.L. ?

– Béatrice Limoge ?

– Qui ?

– Personne, je viens d'inventer un nom !

Elle soupire.

– Guillaume n'arrête pas de parler de Mme Lupien.

– Guillaume n'est jamais sérieux, tu le sais.

– Oui, mais... j'ai refusé de faire l'amour avec lui. Je n'aurais pas dû ! Maintenant, il a trouvé une fille plus mûre !

– Si Guillaume te trompe parce que tu ne veux pas faire l'amour avec lui, c'est qu'il est vraiment crétin !

Évelyne s'installe au pupitre face à moi et se retourne vers nous.

– Un crétin ? Ah ! Zut ! Vous parlez encore de mon frère.

Sandrine lui lance un regard désespéré.

– Il me trompe.

Évelyne ne réagit pas. Sandrine crie d'indignation et Évelyne l'observe enfin.

– Quoi ? Mon frère drague toutes les filles ! Le plus étonnant, c'est que vous soyez toujours ensemble et que tu tolères son attitude. Moi, je ne le pourrais pas.

Sandrine demeure silencieuse, sous le choc. Elle reprend ses esprits et m'agrippe le bras.

– Lili, tu vas l'espionner.

Moi ? Espionner Guillaume ? Elle poursuit :

– Oui, c'est une idée géniale ! Tu vas te cacher dans le bois vendredi avant la brunante. Tu es toute petite, un arbre te cache.

Évelyne dépose ses manuels lourdement.

– C'est ridicule !

Sandrine s'excite.

– Taisez-vous, ils arrivent.

Guillaume et Pierrick s'installent à la droite d'Évelyne et P-A s'installe à ma droite. Je réponds au sourire de mon amoureux en me disant que j'ai bien de la chance que P-A soit toujours là pour moi. Je peux bien jouer les espionnes pour Sandrine.

⁂

Derrière l'arbre, je vois une silhouette que je reconnais très bien. Benjamin Lepage. Je m'approche doucement, cachée par les branchages. Guillaume se dirige vers lui. Benjamin replace quelques mèches de ses cheveux. Lorsque mon amoureux m'aperçoit, il a toujours ce tic nerveux que je trouve si mignon. Oh ! Non ! Benjamin serait-il amoureux de Guillaume ? B.L. Se pourrait-il que… ?

– Je savais que tu viendrais.

– Tu ne sais rien du tout.

Je ne vois pas le visage de Guillaume, mais je sens toute la colère dans sa voix. Tout ce que je souhaite c'est qu'il ne le frappe pas. Surtout avec le petit mot doux qu'il lui a envoyé.

– Non, tu as raison, je ne sais rien. Mais tu es là. C'est tout ce qui importe.

– Oui, mais ce n'est pas pour les raisons que tu crois.

– Ça m'est égal.

Benjamin caresse les cheveux de Guillaume. Oh ! Mon Dieu ! Ils ne vont quand même pas…

Oui. Ils s'embrassent. C'est timide, mais il n'y a pas de doute possible. Je suis mal à l'aise. Qu'est-ce que je fais là ? Je n'arrive pas à croire que j'assiste à une telle scène. Guillaume serait homosexuel ? C'est surréel ! Il est vrai qu'il n'a jamais réussi à tomber amoureux d'une fille. Ni même de Sandrine.

Après quelques instants, Guillaume repousse Benjamin.

– Désolé, mais je ne suis pas comme toi !

Benjamin a un sourire arrogant.

– Ce n'est pas facile de se l'admettre, pas vrai ?

– Non, Ben, tu ne comprends pas. Je ne le suis pas. Je ne serais pas gêné de l'admettre si je l'étais, mais…

Benjamin l'interrompt en l'embrassant à nouveau. Guillaume le laisse faire un peu, participe même, puis le repousse.

– Non. Je… non. Je ne suis pas capable.

– Mais tu es là pourtant, et il y a ce mot.

– Je sais. Désolé.

Guillaume s'éloigne, laissant Benjamin derrière lui. Ce dernier attend quelques secondes, puis se retourne et s'enfonce dans le boisé.

– Eh ! Qu'est-ce que tu fais là, toi ?

Zut ! Guillaume m'a aperçue. Il s'approche de moi d'un air menaçant. Il est trop tard pour fuir. Je scrute les alentours en espérant qu'une trappe apparaisse par magie dans un tronc d'arbre ou qu'un vaisseau spatial en profite pour venir me chercher à cet instant précis. Malheureusement, ce n'est jamais ces moments-là que les bonshommes verts choisissent pour apparaître ! Et si je mimais un arbre ?

– Lili ? Depuis combien de temps es-tu là ?

Lui mentir. Je ne peux quand même pas lui avouer que je l'espionne pour le compte de Sandrine et que nous croyions qu'il la trompe avec Mme Lupien. Mon cerveau ne trouve jamais ce qu'il faut dire.

Guillaume piétine. Comme il ne sait pas si je l'ai vu embrasser Benjamin ou pas, il attend. Je dis simplement :

– J'ai vu.

Il jure, puis il me saisit par les épaules et me fixe droit dans les yeux.

– Ce n'est pas ce que tu crois, Lili. Je ne suis pas comme lui.

– Non, bien sûr que non.

– Non, je ne suis pas…

Sans crier gare, il m'embrasse. Ses mains agrippent ma nuque avec force. Je lui mords la lèvre et me défais de son emprise avec colère.

– Qu'est-ce qui te prend ?

J'ai envie de le frapper, mais il semble si vulnérable. Il se prend la tête entre les mains. Il répète encore « qu'il n'est pas » en se léchant la lèvre où je vois apparaître quelques gouttes de sang.

– Je suis perdu. Peut-être que j'aurais pu l'être, Lili, tu comprends.

Je ne comprends pas. Une seule question me brûle la langue.

– Que fais-tu de Sandrine ?

– Je devrais être fou d'elle, non ? Elle est géniale. Pourtant, je ne ressens pas le quart de ce que P-A ressent pour toi. Si Sandrine agissait avec moi comme tu agis avec P-A, je ne m'encombrerais pas d'elle.

Mon cœur cesse de battre.

– Que veux-tu dire ?

Il poursuit en riant méchamment:

– Lili, tu l'évites. Tu es dure et, en plus, il ne se passe rien entre vous.

– Eh! Ce n'est pas parce je t'ai surpris en train d'embrasser un gars que tu as le droit d'être méchant avec moi!

Il blêmit.

– Ne parle de cette histoire à personne, sinon, je pourrais bien raconter que tu m'as embrassé.

– Je ne t'ai pas embrassé.

– Si je l'affirme, tu seras incapable de le démentir. Tu le sais et je le sais. Imagine un peu la réaction de P-A et de Sandrine.

– Tu as autant à perdre que moi!

– Si tu parles, j'aurai déjà tout perdu.

– Tu es vraiment un salaud!

Il a un sourire triste.

– Oui, je sais.

Il me tourne le dos et me quitte.

J'ai un malaise. Quand je suis avec Benjamin, je revois la scène. Quand je suis avec P-A, je pense à ce que Guillaume a dit. Quand je suis avec Évelyne, j'ai l'impression de la trahir. Mais le pire, c'est lorsque je suis avec Sandrine.

– Tu me jures qu'il n'y est pas allé? me demande-t-elle sans arrêt. Et Mme Lupien, comment a-t-elle réagi?

– À vrai dire, je ne suis même pas certaine que c'était elle. Il faisait plutôt noir.

– Allons, Lili. B.L. ça ne peut être qu'elle.

C'est à ce moment qu'Évelyne prononce mon arrêt de mort :

– B.L. ? Ça peut aussi être Benjamin Lepage.

Sandrine éclate de rire, moi, je blêmis. Je souhaite qu'Évelyne regarde ailleurs. Non. Elle m'a vue. Juste à son visage, je sais qu'elle comprend. Toutefois, elle ne me demande rien. J'imagine qu'elle a peur de la réponse que je pourrais lui donner.

Sandrine, pour sa part, semble trouver cette possibilité bien amusante. J'oublie toujours qu'elle n'est pas au courant de l'orientation sexuelle de notre ami. Il faut dire que Benjamin n'a pas le « profil ». Il demeure très viril, malgré l'image que l'on peut se faire des homosexuels.

Afin de ne pas me trahir auprès d'Évelyne et Sandrine, je les fuis. J'observe Guillaume et Benjamin à la dérobée. J'étudie les regards qu'ils s'échangent. Il est évident que Benjamin est démoli. Guillaume ne semble plus savoir où se placer. Il ignore Sandrine, mais elle est tellement heureuse de savoir qu'il n'est pas allé au rendez-vous qu'elle ne remarque même pas sa froideur. J'aimerais tant pouvoir me confier à Sandrine. Je ressens une telle culpabilité à lui mentir.

J'essaie d'être plus douce avec P-A, mais j'ai toujours envie de pleurer quand je suis seule avec lui. Malgré moi, je le fuis plus que jamais.

Noël approche et je ne sais même pas ce qui lui ferait plaisir. « Que tu sois bien », il a dit. J'en ai assez qu'on me demande d'aller mieux. Ce qui se passe avec Benjamin, Guillaume et Sandrine me rappelle que je ne suis pas seule à avoir des problèmes. Mais je ne puis être d'aucune aide pour mes amis.

– Eh ! Lili-la-Lune ! Je comprends mieux pourquoi on te donne ce surnom.

Benjamin s'installe à mes côtés sur le banc à la piscine. Je n'ai plus le droit de nager, mais ce midi, j'ai décidé d'assister à l'entraînement.

– Tu as mangé ?

Je lui tends l'emballage d'une barre énergétique. Ma mère utilise cette nouvelle stratégie depuis qu'on lui a dit que j'avais bu une boisson protéinée à l'infirmerie de l'école. Ce type de repas est plus facile à avaler.

– Génial, Lili. Tu prends du mieux et cela me fait plaisir.

Malgré son ton enjoué, je sais qu'il ne va pas si bien qu'il le laisse paraître.

– Oui, je vais mieux. Et toi ?

– Oh ! Tu sais, pour moi, tout *baigne* !

Il pointe la piscine avec un sourire idiot.

– Contente de voir que ton humour est toujours aussi terrible !

– Je crois qu'il empire.

– Je ne crois pas que ce soit possible. Dis-moi, tu as une idée de cadeau que je pourrais offrir à P-A ?

– Une nouvelle paire de seins ?

– Ben ! On jurerait une blague de Guillaume !

– C'est ce que je disais, mon humour empire !

J'éclate de rire et Benjamin regarde au loin. Son regard est vague et il se mordille la lèvre. Je lui prends la main.

– Guillaume est un idiot.

Il acquiesce en serrant ma main dans la sienne et nous restons ainsi pendant quelques minutes. Je voudrais lui dire qu'il peut se confier à moi, mais je n'y arrive pas. Il est triste. Je m'appuie sur son épaule et il me serre contre lui en embrassant le dessus de ma tête.

Je me demande pourquoi tout le monde s'entiche de Guillaume. Pour ma part, je le déteste !

P-A est furieux. Il me lorgne d'un œil noir alors que je mets mon manteau. Qu'est-ce qui lui prend ?

– À quoi vous jouez au juste ?

Avec son manteau aux étranges manches bouffantes (pas du tout mon préféré, mais ce genre de vêtement fait partie de lui !) on s'attendrait presque à le voir brandir une épée.

Guillaume prend ma défense.

– Pourquoi tu t'excites, vieille branche ?

Évelyne referme la case avec force.

– Quoi, frérot ? Tu n'as pas entendu la toute dernière rumeur ?

P-A et mon amie m'observent, les mains sur les hanches. Guillaume soupire.

– Lili, non plus, il semblerait. Alors crachez le morceau qu'on en finisse.

P-A est tellement en colère que ses lèvres tremblent.

– Mélina Robert Saint-Laurent prend pourtant un malin plaisir à répandre la bonne nouvelle !

Évelyne poursuit :

– Elle raconte partout qu'elle a vu Lili et Ben dans les bras l'un de l'autre à la piscine. Elle prétend même qu'ils s'embrassaient.

Je pouffe de rire, mais je suis clairement la seule à trouver la situation amusante. Guillaume est blême. Évelyne et P-A, fâchés. Je me défends :

– Allons, c'est ridicule, on ne s'embrassait pas. Vous savez bien qu'il est gai.

P-A s'obstine :

– Mais tu étais quand même dans ses bras ? Moi, je ne peux même plus te toucher le bout du petit doigt !

Évelyne l'observe les yeux ronds.

– P-A !

– Quoi ? J'en ai assez de me taire. Pourquoi lui ? Pourquoi mon cousin ? Pourquoi pas moi ?

Guillaume a un air atterré.

– Oui, pourquoi ?

C'est plus fort que moi, je ne peux que répliquer :

– Parce qu'il est triste par ta faute, pauvre crétin !

P-A se tourne vers Guillaume qui, des yeux, me supplie de me taire, puis de nouveau vers moi.

– De quoi parles-tu ?

Évelyne se bouche les oreilles.

– Lalalala ! Je ne veux pas entendre ça.

Guillaume m'agrippe le poignet.

– Quoi ? Ma sœur est au courant ?

– Non, je n'ai rien dit. Elle a deviné. À cause du message texte et des initiales B.L. Sandrine pensait que tu as embrassé Mme Lupien, mais Évy a deviné que le mot d'amour venait de Ben.

P-A fait une grimace.

– Une lettre d'amour? Il se passe des choses entre Ben et toi? C'est dégueulasse: mon meilleur ami avec mon cousin!

Guillaume s'élance et frappe P-A.

– Je ne suis pas gai!

Évelyne hurle. P-A recule, sonné. Guillaume voit noir et, avant qu'il ne s'élance de nouveau vers mon amoureux, je me jette sur lui. P-A s'avance vers nous en jurant.

– J'en ai assez de vos histoires. Lili, c'est terminé entre nous. Je n'en peux plus!

P-A saisit Évelyne par le bras et l'entraîne à sa suite. Mon amie me lance un petit sourire désolé. Elle court derrière P-A qui, enragé, marche à toute vitesse de ses grands pas sautillants.

Voilà, c'est fait. P-A a fini par me laisser.

J'éclate en sanglots dans les bras de Guillaume qui ne réagit pas. Puis, je sens sa main me tapoter doucement le dos.

– Quel crétin!

Chapitre XIII

Malgré soi

C'EST LE PIRE NOËL de toute ma vie. D'abord, P-A ne me parle plus. Normal, puisqu'il a rompu avec moi. Ensuite, il y a toute cette nourriture, ces tourtières, pâtés au poulet, ragoûts de pattes de cochon, dindes, raclettes, fondues chinoises, alouette ! Sans compter les desserts.

Étrangement, j'enfourne tout sans distinction. Je m'empiffre comme un goinfre. J'ai toujours mal au ventre.

Lilas n'est pas disponible pour m'aider avant la mi-janvier. Ma mère m'encourage à manger. Ma sœur me boude encore.

Je crois bien que je ne m'en sortirai jamais. J'ai grossi. Je me sens pitoyable, mais je ressens un tel vide que je n'arrive plus à contrôler ma faim. P-A me manque tellement.

Me lever le matin m'est insupportable. Le plus pénible, c'est de conserver ce faux sourire. Je déteste les fêtes, les cadeaux et les gens heureux. Je n'ai envie de voir personne, mais je suis toujours entourée d'un oncle, d'une tante, d'un cousin ou d'une cousine.

Les gens heureux me rappellent que pour moi, il n'y a plus de retour en arrière. Je suis blessée jusqu'au plus profond de mon âme et jamais plus je ne pourrai aimer ni être bien dans ma peau. Aimer quelqu'un d'autre que P-A m'apparaît impossible. Aimer P-A l'est tout autant. Il mérite une fille plus équilibrée que moi. Je suis démolie. Malgré tout, je garde espoir, et je m'en veux.

Je ne peux oublier Marc, je dois donc oublier P-A.

Je n'ai personne à qui confier mon désespoir. Sandrine me déteste parce que je lui ai caché la vérité à propos de Guillaume et de Benjamin. Guillaume m'en veut parce que j'ai dévoilé son secret. Évelyne me fuit, car elle est mal à l'aise. Il n'y a que Léa qui n'est pas fâchée contre moi, mais elle est en tournoi de patinage artistique.

Il y a aussi Benjamin, mais il demeure à l'autre bout de la ville. Nous nous réconfortons dans nos peines d'amour en clavardant ou en parlant au téléphone.

P-A lui a raconté mon histoire à propos de Marc durant la fête de Noël. Chaque fois que Benjamin essaie d'aborder le sujet avec moi, je lui raccroche la ligne au nez ou je me débranche de l'Internet.

– C'est bien vrai. Voilà LE sujet tabou à ne pas aborder avec toi. Un gars t'a agressée et tu refuses d'en parler. Il me semble que moi, à ta place, je lui ferais payer cher son geste.

Je ne comprends pas pourquoi il insiste.

– Tu n'es pas à ma place, Benjamin Lepage. Tu n'as aucune idée de ce que je vis.

– Non, en effet.

– Alors, laisse-moi tranquille !

Il rigole. Quel arrogant !

– Toi non plus, tu n'as aucune idée de ce que je vis. J'ai parlé, moi. J'ai assumé mon orientation sexuelle. Certains de mes amis m'ont rejeté, mais je m'en suis fait de nouveaux. Et toi, que va-t-il t'arriver si tu dénonces ton agresseur ?

– Ferme-la !

– Ouh ! Tu devras sûrement changer d'école, comme moi. Sans doute que l'on te jugera et que l'on te rejettera. Allons, tes amis te soutiendraient contre vents et marées. Tu le sais.

Je ne lui réponds pas. Je le hais. Comment peut-il comparer son histoire à la mienne ?

– Tu n'as pas le monopole de la souffrance, Lili-la-Lune ! C'est toi qui n'as aucune idée de ce que je vis ! Les chances que je rencontre l'amour un jour sont plutôt minces. Toi, tu fais l'idiote parce qu'un gars a agi en parfait salaud avec toi ! Tu crois vraiment que mon cousin pourrait te faire du mal ?

– Tu ne comprends rien.

– Alors, explique-moi.

Qu'y a-t-il à expliquer ? Voyant que je ne réponds pas, il soupire.

– P-A a raison. Guillaume et toi, vous ne vous comprenez même pas. Alors, comment voulez-vous que l'on vous comprenne ?

À mon tour de soupirer. Un affreux mal de tête m'afflige.

– Je l'ignore.

C'est le fouillis en moi. Je voudrais dormir à tout jamais.

Guillaume m'a téléphoné. Il m'invite à écouter un film. J'accepte avec joie. Je n'ai vu aucun de mes amis depuis le début du congé des fêtes. Peut-être m'a-t-il pardonné ?

Dès mon arrivée, un malaise s'installe entre nous. Guillaume me parle à peine, installe le film et nous nous assoyons sur le divan.

Quoi lui dire après avoir causé tout cet émoi ? Il semble chercher ses mots, lui aussi.

– Je suis désolée, Guillaume. Évelyne a deviné que tu fréquentais Ben. Je voulais garder le secret. Je te jure. Pour Ben, mais aussi pour toi.

Il arrête le film.

– J'ai parlé à P-A et nous nous sommes réconciliés. En fait, si je t'ai invitée, c'est parce que je voulais t'expliquer la situation.

Il attend que je réagisse. Je l'encourage à continuer. Il se racle la gorge.

– Quand Ben nous a annoncé qu'il était gai, à la fête de Potvin, je me suis demandé si ce n'était pas aussi mon cas. Ne ris pas.

Je n'ai pas du tout envie de rire. Il n'y a rien de comique dans cette situation. Je détesterais découvrir que je suis attirée par une fille. Je secoue la tête pour le lui signifier. Il poursuit :

– Avec Sandrine, il y avait quelque chose qui clochait. Je la trouve très jolie et gentille, mais dès que les choses devenaient sérieuses, je paniquais. Je ne me voyais pas en couple avec elle. J'aurais voulu être attiré par elle, parce que Sandrine est vraiment une des plus belles filles que je connaisse. Pas autant que toi, bien sûr, mais…

Je lève les yeux au ciel. Il n'arrêtera donc jamais son jeu. Il poursuit :

– Sans blague, Sandrine est sublime, mais le cœur n'y est pas. Elle m'énerve, comme toutes les autres filles. Comme Mélina l'an passé et toutes les filles que je connais. Sauf toi, évidemment.

– Bien entendu.

Comme je ne ris pas, il retrouve son sérieux.

– Puis, Ben a avoué son orientation sexuelle. J'ai cru que c'était possible pour moi aussi. Qui sait ? Je me suis posé beaucoup de questions. Je l'ai observé et j'ai trouvé que ce n'était pas si mal.

– Non, en effet. Les filles sont toutes folles de lui.

– Oui, je sais. Il m'a volé mon fan-club !

Il rit en me regardant avec une étrange lueur au fond des yeux. Se pourrait-il qu'il ait compris qu'il aime Benjamin ?

– C'était très déstabilisant, tout ce questionnement. Alors, j'ai décidé de fréquenter Sandrine. Cette solution me paraissait plus simple. Je me disais qu'en sortant avec elle, j'allais finir par tomber amoureux. Toutefois, je me suis rendu compte que je ne ressentais que de l'amitié pour elle. Je l'aime bien, mais c'est tout. Je ne voulais pas lui faire du mal.

Il semble sincèrement désolé. J'essaie de l'aider en lui posant LA question :

– Tu aimes Ben, n'est-ce pas ?

Il baisse les yeux.

– Non.

Non ? Mon cœur cesse de battre. Quoi ? Mais où mène cette histoire ? C'est ridicule !

– Lili, je ne suis pas gai. Il a fallu que j'embrasse Ben pour le comprendre. Je ne ressens pas d'amour pour lui. Je préfère embrasser des filles.

Je me lève du divan. Quelque chose en moi a envie de le griffer. Il me retient par la main.

– Ne m'en veux pas, Lili.

– Tu fais du mal à tout le monde ! Tu as brisé le cœur de Sandrine et tu as blessé Ben, uniquement parce que tu es incapable d'aimer une autre personne que toi.

– C'est faux. Ce n'est pas…

– Quoi ? Tu vas me dire que tu aimes les chats ?

Il tente une blague :

– Je hais les chats, tu le sais bien !

Je ne me calme pas. Il soupire.

– Je n'ai jamais voulu causer de tort à personne.

– Il fallait peut-être y penser ! Arrête un peu de jouer avec tout le monde, parce que Sandrine et Benjamin sont tombés amoureux de toi. Ils ont des émotions, eux !

Quel égoïste ! Comment peut-il jouer avec les sentiments des autres ? L'amour n'est pas un jeu !

– J'essaie simplement de comprendre, Lili. Je voudrais tomber amoureux moi aussi. Je me sens tellement seul depuis que P-A et toi formez un couple.

– C'est fini entre nous, tu le sais bien.

– P-A t'aime toujours et tu es également amoureuse de lui.

Je repousse cette idée. P-A et moi, c'est du passé.

Guillaume est atterré. Il serre ma main comme un étau. Je respire en tentant de retrouver mon calme et je reprends ma place près de lui.

– Tu pourrais faire attention. Tu blesses les gens autour de toi.

Il se rebiffe.

– Et toi, hein ? Tu crois que personne n'est triste par ta faute.

– Ce n'est pas du tout la même chose !

– P-A est démoli. Sans parler d'Évy. Et moi. Et Sandrine qui s'inquiète sans arrêt pour toi. Veux-tu bien m'expliquer pourquoi tu préfères te terrer dans le silence plutôt que de partager tes ennuis avec nous ?

Il a raison. J'ignore pourquoi j'agis de la sorte. Guillaume me prend dans ses bras.

– Tu n'imagines pas ce que je pourrais faire pour toi si seulement tu voulais de mon aide.

Les paroles de Guillaumes m'émeuvent.

– Je me sens tellement mal, Guillaume. Si tu savais...

Pendant plusieurs minutes, je le laisse me consoler. Lorsque je me détache enfin de lui, il essuie doucement mes larmes avec des papiers mouchoirs.

– Je pourrais tuer Marc Rioux pour ce qu'il t'a fait. Mais par pitié, ne le laisse pas te détruire. Tu n'es pas seule.

Il me caresse le visage. Ses yeux m'hypnotisent. Que se passe-t-il ? Ce n'est que Guillaume. Une chaleur étrange m'envahit. Je...

Un toussotement nous sort de notre état. Évelyne. Les mains sur les hanches.

– Excusez-moi, les amoureux. Je ne voudrais surtout pas vous déranger.

Je me lève et m'enfuis en courant. Guillaume proteste alors que je monte les escaliers deux par deux.

– Le film n'est même pas commencé !

Avant de refermer la porte, j'entends Évelyne crier à son frère.

– Tu as bientôt fini de jouer avec le cœur de mes amis ?

En arrivant chez moi, j'engouffre une douzaine de biscuits au gingembre avant d'aller me coucher, complètement dégoûtée par mon attitude.

Chapitre XIV

Expression de soi

– C'EST LA PREMIÈRE FOIS que tu ressens ce désir ?

Lilas me regarde de ses yeux perçants. Du désir ? Mais de quoi parle-t-elle ? Je lui ai raconté ce qui s'est produit avec Guillaume, puisque j'en suis très troublée. Je m'attendais à tout sauf à cette question.

À vrai dire, j'espérais qu'elle me dise que c'est tout à fait normal de ressentir ce genre de sentiment confus avec une personne qui nous console. N'importe quoi qui me permettrait de me rassurer. Lilas m'observe toujours et je risque une réponse.

– Ce n'était pas du désir, c'était juste... je pense que j'avais besoin d'être réconfortée, non ?

Elle secoue ses cheveux noirs.

– Non. Je veux savoir si tu as déjà ressenti ce désir avant.

Pourquoi cette question ? Essaie-t-elle de me faire comprendre que... j'aime Guillaume ? Ah ! Mais non ! Je ne suis pas amoureuse de lui ! Elle me sourit.

– Je n'essaie pas de te faire dire que tu es amoureuse de ton ami. Allons-y autrement dans ce cas. Si P-A t'avait consolée, qu'aurais-tu ressenti ?

Où veut-elle en venir ? J'essaie d'imaginer que P-A me console. Une angoisse terrible me prend aux tripes. Pourquoi fallait-il qu'elle me parle de P-A ? Elle poursuit.

– Tu refuses de te montrer vulnérable devant ton amoureux, mais tu acceptes de te laisser aller avec ton ami. N'ai-je pas raison ?

Je me défends.

– Ce que Guillaume peut penser de moi m'est égal, alors que P-A…

Elle acquiesce. Pourtant, il me semble que ce que je dis n'a aucun sens. L'image que Guillaume a de moi m'importe et je souhaiterais vraiment pouvoir me laisser aller avec P-A.

– Tu ne veux pas te montrer telle que tu es avec celui que tu aimes ? Ne voudrais-tu pas qu'il soit amoureux de la vraie Coralie ?

– En fait, je voudrais tout simplement qu'il m'aime.

– Tu ne te crois pas aimable telle que tu es. Alors tu te caches.

Lilas me laisse le temps d'absorber le choc avant de poursuivre.

– Que souhaites-tu cacher ?

J'avale difficilement. Je voudrais lui parler de mon agression, mais c'est pénible.

– Je veux faire disparaître cette souillure en moi.

Un goût amer me monte à la bouche. Elle me fixe, mais ne dit rien. Elle semble comprendre que je n'ai pas tout dit encore. Ce qu'elle peut être énervante ! Pourquoi ne m'aide-t-elle pas ?

Elle pourrait me poser une question ou encore me forcer à parler. Elle attend que les mots viennent de moi.

Je respire un grand coup avant de me lancer :

– J'ai été agressée par mon ancien copain, dans une fête chez une amie.

Lilas hoche la tête, comme si elle le savait déjà. Elle m'encourage à continuer. Je lui raconte ce qui s'est passé, d'une voix monocorde, comme si je faisais le résumé d'un roman. Lorsque je me tais, elle garde le silence durant quelques secondes.

– Je suis fière de toi, Coralie. Je sais qu'il est difficile de parler de ces choses-là. J'aimerais toutefois savoir pourquoi tu ne m'en as pas glissé un mot avant aujourd'hui ?

– J'ai honte ! Je ne voulais pas que tu saches combien j'ai été stupide et que tu me demandes pourquoi je suis allée dans la chambre ce soir-là.

– Pourquoi es-tu allée dans la chambre ce soir-là ?

– Parce que je suis idiote !

– C'est un dur jugement que tu portes envers toi-même.

– Peut-être, mais c'est ce que tout le monde pense.

– Tout le monde ? En es-tu certaine ? Je crois que tu es la seule à le croire.

– Je ne suis pas la seule. Marc a dit que je n'aurais pas dû aller dans la chambre avec lui si je n'avais pas l'intention de…

Je me tais. Je ne suis pas d'accord avec Lilas. Je demeure convaincue que les gens doivent croire que je suis la dernière des imbéciles.

– Ce garçon croit avoir eu le droit de faire ce qu'il voulait de toi parce que tu l'as suivi dans la chambre. Et toi, qu'en penses-tu ?

– Qu'il n'avait pas le droit !

– Vraiment ? Alors pourquoi te juges-tu si durement ?

– Parce que je l'ai laissé me toucher.

– Dans ce cas, c'était ta faute, Coralie ?

– NON ! Je ne voulais pas. Je lui disais d'arrêter. Je...

– Pourquoi l'as-tu laissé faire ?

– Mais j'ai essayé de l'en empêcher.

– Qu'as-tu fait pour l'en empêcher ?

Des larmes se mettent à couler. Lilas est méchante avec moi. Pourquoi agit-elle de la sorte ?

Je me lève brusquement. Je veux sortir d'ici, mais plutôt, je l'affronte.

– Je n'ai rien fait, d'accord. Rien du tout. Je l'ai laissé faire. Ça me dégoûtait, mais je ne savais pas quoi faire. Je n'ai pas bougé ! Tu es contente, maintenant ?

Elle me sourit sans me répondre et me propose de me rasseoir. Je reste debout et je l'observe à mon tour avec défi. Que va-t-elle me dire ? Quelle psy débile !

– Dis-moi, comment te sens-tu face à mes propos ?

J'en ai assez de ses questions ! Je ne réponds pas, mais je continue de la fixer. Elle ne bronche pas.

– Violent, n'est-ce pas ? C'est cette violence que tu t'infliges en acceptant de croire ce que t'a dit ce garçon.

Je me rassieds, abasourdie.

– Je suis d'accord avec... ce que dit Marc.

Elle fait signe que oui en me regardant tristement.

– Tu es certaine de n'avoir rien fait pour te défendre ? Que tu lui as donné le droit de t'agresser en le suivant dans la chambre ? Que tu n'avais pas le droit de dire « Non » ? Prends le temps d'y réfléchir avant de me répondre.

J'essaie de me souvenir de cette soirée fatidique où ma vie a soudainement basculé. Nous avions bu. Je n'aurais pas dû boire autant. Léa et Évelyne m'avaient conseillé d'être plus ouverte avec Marc et je les ai écoutées. Marc allait trop loin dans ses caresses, mais, par peur de ne pas être « à la hauteur », je le laissais faire. Jusqu'à ce que...

Aurais-je pu sortir de la chambre ? Me débattre plus ? Hurler pour que mes amis me sauvent ? Lui donner un bon coup ? Sans doute. Pourquoi n'y ai-je pas pensé ? Pourquoi n'ai-je rien fait ?

Ma réponse me brûle dans la gorge.

– Oui, je crois que je l'ai laissé faire. Je m'en veux terriblement.

– Et tu n'arrives pas à te pardonner ?

– Non.

– Est-ce pour cela que tu te punis ? Que tu ne te crois pas à la hauteur de P-A ?

Elle a raison. Cent fois raison. Je me sens terriblement coupable de ce qui m'est arrivé.

Je me sens lasse. Vide. Elle ajoute :

– Veux-tu te pardonner ?

– Toi aussi, tu penses que c'est ma faute ?

Je lève les yeux vers elle et j'y lis de la compassion.

– Non, je ne le crois pas. Mais peu importe ce que je pense, la seule chose qui compte, c'est ce que tu ressens, toi. Tu te crois coupable et tu dois te pardonner.

~

– Elle est folle ! Ta psy est complètement débile ! Elle pense vraiment t'aider de cette façon ?

Évelyne est scandalisée par les propos de Lilas. Sandrine soupire bruyamment.

– Je trouve pourtant que tu te portes mieux, Lili.

Depuis nos ruptures, Sandrine et moi mangeons à l'écart des autres. Évelyne se joint parfois à nous. Les frictions entre mes deux amies sont plutôt fréquentes. Si l'une dit blanc, l'autre dit noir.

Les filles semblent m'avoir pardonné mon silence. Sandrine a compris qu'elle m'avait mise dans une situation inconfortable. Toutefois, elle déteste Benjamin et je ne crois pas qu'elle va pardonner de sitôt à Guillaume.

Évelyne roule les yeux.

– Ce n'est pas parce que Lili mange maintenant normalement que la psy n'est pas folle. Réfléchis un peu : lui faire croire qu'elle est coupable de ce que Marc lui a fait ! C'est une aberration !

– Lilas ne m'a pas fait croire que je suis coupable, elle m'a fait comprendre que je pense que je le suis...

Évelyne soupire d'exaspération.

– C'est la même chose ! Elle t'a mis des idées ridicules dans la tête ! Comme si quelqu'un de sensé pouvait se sentir responsable d'une telle atrocité.

– Tu ne penses pas que je me suis attiré mes problèmes ?

– Mais non. Quelle idiotie ! Il faut être totalement disjoncté pour penser une telle chose.

Sandrine me prend la main.

– Moi, je comprends ce que ta psy voulait dire. Moi-même, je me sens très coupable de n'avoir pas vu le jeu de Guillaume. Et pourtant, tout est sa faute, non ?

– Ne compare pas mon frère à ce salaud de Marc Rioux !

Les yeux d'Évelyne lancent des flammes.

– Ton frère a pourtant agi de la même façon avec moi que Marc l'a fait. En me faisant croire qu'il m'aimait uniquement pour coucher avec moi.

Évelyne laisse échapper un rire méchant.

– Ma pauvre Sandrine ! Tu t'imagines que tous les gars de l'école veulent coucher avec toi, non ?

– Évy !

Mon cri est sorti tout seul, mais je trouve qu'elle va trop loin. Ses propos sont méchants.

– Quoi, tu es d'accord avec elle ? Je sais bien que mon frère drague toutes les filles et même les gars, mais c'est mon frère, d'accord.

– Bien sûr, rétorque Sandrine, et Marc est le frère de Marie-Pier Rioux et c'est quand même un salaud !

– Mon frère n'est pas un salaud ! Tu es juste trop idiote pour comprendre qu'il se moquait de toi !

– Je le sais.

Sans que j'aie le temps d'intervenir, Sandrine éclate en sanglots. Évelyne, mal à l'aise, la prend dans ses bras. Sandrine répète inlassablement qu'elle est idiote et Évelyne lui chuchote des « Mais non ». Je les observe et tout s'éclaire en moi.

Sandrine n'est pas idiote. Elle se blâme elle-même simplement parce que Guillaume n'était pas amoureux d'elle et qu'il se cherchait. Cela n'enlève rien à sa valeur. Comment peut-elle croire qu'elle a des torts dans cette histoire ?

Comment puis-je penser que je suis coupable du mal que Marc m'a fait ? Je l'ai suivi dans la chambre, mais cela ne lui donnait aucun droit. Il a osé m'utiliser comme un objet, alors que je lui faisais confiance. Je croyais qu'on allait s'embrasser et se caresser un peu, mais pas qu'il allait me brusquer de la sorte ! Il m'a fait croire que je n'avais aucun droit et qu'il avait plein pouvoir sur moi.

FAUX ! Il aurait dû prendre soin de moi, tout comme Francis l'a fait avec Léa. Je méritais de la douceur et du réconfort. Du respect, surtout. Je n'étais pas prête à aller plus loin dans notre relation. S'il m'aimait autant qu'il le disait, il m'aurait acceptée avec mes limites… Marc a détruit ma confiance. J'ai l'impression de n'avoir rien à offrir à un garçon puisque je ne suis pas prête à faire l'amour. Pourtant, P-A n'exige rien de moi.

P-A m'aime réellement, mais je ne lui accorde pas ma confiance. Pourtant, il est resté près de moi. Et si je lui donnais sa chance ?

Chapitre XV

Retour à soi

LILAS N'EST PAS DISPONIBLE cette semaine. Je suis impatiente de la revoir, car j'ai envie de me réconcilier avec P-A très bientôt. Au téléphone, elle m'a dit :

– Coralie, n'attends pas que quelqu'un approuve ton choix.

Je me suis sentie abandonnée. J'avais oublié que Lilas n'est qu'une psychologue et qu'elle ne se soucie pas réellement de moi. Évelyne et Sandrine ont eu la même réaction qu'elle.

– Tu veux que je te signe une autorisation, peut-être ? a même ironisé Évelyne.

Sandrine a ajouté :

– Faudra-t-il encore que je t'organise une sortie avec lui ?

Pour une fois, mes amies se liguent contre moi. Elles ont raison, sauf que je n'ose pas m'approcher de lui. J'ai si peur qu'il me rejette !

Le cours est insupportable. P-A rigole avec Guillaume et je remarque qu'ils s'envoient des mots lorsque l'enseignante a le dos tourné.

Évelyne me tape sur l'épaule. Je saisis le papier qu'elle me tend. Malheureusement, Mme Lupien s'en rend compte et elle m'oblige à aller le lire devant toute la classe.

Mon amie me lance un regard désespéré et me fait un signe de « non » de la tête. Je comprends qu'elle veut que j'invente une histoire, mais que vais-je dire ?

Je fais mine de lire :

– Euh... As-tu mangé des protéines ce midi ?

L'enseignante saisit le papier.

– Ce n'est pas ce qui est écrit ! « Je crois que mon frère en bave encore pour la... »

Évelyne rougit et se cache le visage derrière les mains. L'enseignante se raidit sans lire le dernier mot, « prof », mais il est trop tard, car tout le monde a compris. Fuzzy siffle.

Guillaume se retourne vers sa sœur. P-A se retient pour ne pas pouffer de rire. Je hausse les épaules en le regardant avec un sourire amusé. L'enseignante retrouve ses esprits.

– Évelyne, Coralie et Guillaume, je vous garde en retenue après le cours.

Je me mords les lèvres. P-A me fait un clin d'œil pour m'encourager. Mon cœur fait un bond. Mme Lupien s'offusque :

– Tu trouves la situation amusante, Pierre-Antoine ? Reste avec nous dans ce cas.

– Avec plaisir, madame. Sauf que moi, c'est pour Lili que j'en bave !

Guillaume lui donne un coup de coude et toute la classe éclate de rire. L'enseignante m'ordonne de retourner m'asseoir. Elle reprend son cours, comme s'il ne s'était rien passé.

À la fin des cours, nous rejoignons l'enseignante à son bureau. Évelyne se tient derrière moi, comme si elle craignait qu'elle ne la frappe.

Mme Lupien nous demande de nous asseoir aux bureaux à l'avant.

– Je n'ai rien contre le fait que l'un de mes élèves ait le béguin pour moi. Toutefois, qu'il soit bien clair que je refuse tout manque de respect à mon égard et à l'égard des autres élèves. C'est pourquoi je vous demanderai à tous les quatre de me rédiger cinq cents mots sur une notion très importante : le respect des autres. À me remettre demain. Bonne fin de journée.

Nous sortons enfin de la classe. Guillaume est hors de lui. Je ne peux m'empêcher de penser à ce que P-A a dit : « J'en bave pour Lili. » Guillaume me sort de mes pensées.

– Vous vous trouvez drôles au moins, les filles ?

Évelyne ne lui accorde même pas un regard.

– Pour toi, l'amour est un jeu de toute façon. Alors pourquoi en fais-tu un drame ?

– Parce j'ai l'air du crétin qui a le béguin pour son enseignante.

– C'est ce que tu es.

– Non. J'en bave pour Lili, moi aussi.

Il s'éloigne de nous. Évelyne et P-A me regardent d'une façon étrange.

– Quoi ? C'est une blague, non ?

Évelyne soupire.

– Oui, je l'espère.

Elle nous quitte.

Une fois seule avec P-A, un malaise s'installe entre nous. Il demeure près de moi. Je dois retrouver mes esprits avant qu'il ne parte ! J'ai très chaud et le visage de P-A est rouge. Je me racle la gorge, mais il me devance :

– Tu veux faire le travail de retenue avec moi ?

Je lève les yeux vers lui et j'acquiesce, la gorge nouée et les yeux remplis d'étoiles.

– Je t'appelle ce soir, dans ce cas.

Il s'éloigne de moi en marchant à reculons. Nos yeux n'arrivent pas à se détacher. Je suis hypnotisée. Il se détourne enfin et mon cœur se remet à battre.

⁂

Je frappe à la porte d'une main tremblante. P-A me fait entrer. Après avoir salué son père, nous nous installons dans le salon.

P-A est nerveux. La nervosité me tétanise.

– Lili, je voulais que tu saches que ce devoir est en fait une excuse pour te revoir.

– Je sais.

Rédiger ce type de composition ne nous prendra pas plus de cinq minutes. P-A n'a pas besoin de mon aide, ni moi de la sienne. Nous avons besoin de nous parler. Une vraie conversation.

J'ai peur de cette discussion. Nous nous sommes disputés chaque fois que nous avons tenté de parler de ce sujet. Je comprends toutefois que le silence est notre pire ennemi. Il crée une distance entre nous.

Malheureusement, je ne sais toujours pas comment lui dire à quel point je me sens misérable, mais que je voudrais qu'il m'aime telle que je suis. Je me sens coupable de le faire souffrir et je me déteste d'avoir besoin de lui. Toutefois, il mérite la vérité et que je lui offre la vraie Coralie. À lui de décider ensuite s'il veut de moi.

Peut-être que si je commençais par le début.

– Je suis désolée, P-A.

Il se mord les lèvres. Son regard se perd au loin. J'aimerais qu'il dise quelque chose, mais il est aussi muet que moi.

Les mots ne me viennent pas. C'est si difficile de lui dire ce que je ressens. Après plusieurs minutes d'un silence insoutenable, il se tourne vers moi.

– Tu sais ce qui est pire que tout ? C'est que tu ne me parles de rien. Tu te confies à Ben, à Guillaume, à Évy et à Sandrine, mais tu ne me confies jamais rien. Tu n'as pas confiance en moi.

Il se détourne. J'aimerais tellement pouvoir m'ouvrir à lui et lui expliquer que c'est plutôt ma confiance qui a été détruite et qu'il n'y est pour rien.

– Qu'est-ce que j'ai fait de mal ? Pourquoi tu me fuis ?

– Ce n'est pas ta faute !

Son regard se durcit.

– Non, je sais, c'est celle de Marc !

Voilà. Nous y sommes. Je réponds difficilement.

– Oui, en partie.

– J'aurais dû tuer ce salaud !

– Le tuer ? Belle idée. Et tu crois que je me sentirais mieux s'il était mort et que tu étais un assassin ? Dans les films, c'est une solution facile, mais dans la vraie vie, P-A, le fait de le tuer ne changerait rien à ce que je ressens.

– Peut-être. Mais au moins, je me sentirais utile.

Il soupire.

– P-A, tu n'y es pour rien dans ce qui est arrivé. Personne ne pouvait se douter qu'il allait agir de la sorte. Si j'avais su, tu crois que je serais allée dans la chambre avec lui ? Ce n'est pas ta faute, P-A, ni la mienne.

Il bafouille un petit « Ouais, ouais », et le silence envahit le salon.

Comment peut-il croire qu'il est responsable ? Il s'imagine sans doute qu'il aurait dû entrer dans la chambre et provoquer Marc en duel ? J'ignorais qu'il se sentait coupable, lui aussi !

Pendant un certain temps, j'ai cru que s'il m'avait avoué son amour plus tôt, rien de tout cela ne se serait produit. Mais j'ai moi-même tellement dissimulé mes sentiments que même ma meilleure amie ne savait pas que j'avais le béguin pour lui. Nous ne sommes pas doués pour nous parler.

P-A respire un grand coup avant de m'avouer :

– J'en ai assez de toujours penser à ce qu'il t'a fait et d'avoir peur de faire la même chose. Et si je perdais le contrôle, moi aussi ?

De toutes les options possibles, je n'avais pas pensé à celle-là ! P-A ne me ferait jamais de mal ! Je n'ai jamais douté une seule seconde qu'il pourrait me forcer à faire quoi que ce soit contre mon gré ! Où va-t-il pêcher cette idée ?

– Chaque fois que j'ai envie de te toucher, j'ai l'impression d'être un véritable salaud. Puis…

– C'est ma faute, je ne te laisse pas faire !

– C'est vrai que tu me repousses toujours, mais c'est normal, non ? Après ce qui est arrivé ? Je ne t'en veux pas, mais…

Il tourne un coussin entre ses mains. Il semble incapable de poursuivre. Je prends les devants.

– Tu as envie de plus ?

Il serre le coussin contre lui.

– Non. Oui, je veux plus, mais je veux que tu le veuilles aussi.

Il pousse un long soupir et se passe la main dans les cheveux.

– Ce que je veux, c'est que tu sois heureuse avec moi. Ce n'est pas le fait de ne pas te toucher qui me dérange le plus. C'est que tu permettes à Ben de te coller et que moi, je n'y ai pas le droit. Tu… tu as peur de moi, non ? Peur que je te brusque ?

Ses mains sont agrippées au coussin et ses jointures donnent l'impression qu'elles vont éclater. Je ne sais pas trop quoi lui répondre. Ai-je peur de P-A ? J'avale ma salive et fais tourner une mèche de mes cheveux entre mes doigts.

– Oui, j'ai peur, P-A, mais je n'ai pas peur de toi. Je suis simplement brisée. Je sens parfois que je n'ai pas grand-chose à t'offrir. Je voudrais te donner ce que toutes les autres filles te donneraient. Parfois, je me dis que tu mérites d'avoir une copine normale.

Il éclate.

– Est-ce que j'ai l'air d'un gars normal ?

Je l'observe. Ses cheveux qui ressortent par mèches de sous une casquette à carreaux, un chandail rapiécé au niveau des coudes sous un t-shirt d'un vieux groupe rock que mon père écoute. Son vieux jean usé qui lui fait des fesses incroyables.

Même ses yeux sortent de l'ordinaire. Un observateur non averti dirait qu'ils sont noirs ou d'un brun très foncé. En fait, ils sont bleu marine.

Qu'il est beau avec ses lèvres charnues, son nez un peu large, ses joues sans pommettes et un tantinet trop rouges ! Je craque immanquablement.

Beau oui, mais normal, non.

– Alors ? J'ai l'air du type qui veut d'une fille normale ? Ou qui sortirait avec une fille uniquement pour son physique ? Oui, je te trouve très belle, mais je ne suis pas avec toi pour cette raison. Tu sors de l'ordinaire. Tu es intelligente, drôle, unique. Tu es lunatique et tu as tendance à te replier sur toi au lieu d'exprimer ce que tu te ressens. Ensuite, tu déballes ton sac tout croche. Des fois ça m'énerve. Je voudrais tellement que tu t'ouvres plus à moi. Je voudrais que tu me fasses confiance, que tu comprennes que je ne suis pas comme lui et que je t'aime réellement. Je ne veux pas d'une fille normale, d'accord ?

Il a à peine fini sa phrase que je suis déjà contre lui. Je l'embrasse comme jamais je ne l'ai embrassé. Mes larmes se mêlent sur nos lèvres.

– P-A, je t'aime.

Nos mains ne semblent vouloir se poser nulle part, mais partout à la fois. Je ne réfléchis plus et c'est bon. Tellement bon.

Quand je retrouve mes esprits, je me rends compte que je suis étendue sur lui. Je suis gênée. Et si son père nous avait surpris ?

– Je suis désolée.

Je m'éloigne, mais il m'attire contre lui. Il ne semble pas se préoccuper de son père.

– Ce n'est pas désagréable, tu sais.

J'appuie ma tête contre son épaule. Il caresse mes cheveux.

– Lili, je pense que si on veut que notre relation fonctionne, on doit être honnête l'un envers l'autre. S'il y a des choses que je fais qui te dérangent, si tu ne veux pas qu'on aille plus loin, je veux que tu me le dises, d'accord ?

– D'accord. J'avais tellement peur de te blesser que je préférais me taire. Tout ce que je voulais, P-A, c'est être la fille parfaite pour toi et oublier ce que Marc m'a fait.

– Je crois qu'on n'oubliera jamais. Et tu es déjà parfaite.

– Tu sais, P-A, j'ignore si je vais être suffisamment à l'aise avec mon corps pour faire l'amour avec toi, un jour. Pour l'instant, je ne suis pas prête.

– Ne t'inquiète pas. Ne le dis pas à Guillaume ni à Potvin, mais j'ai peur moi aussi. Je préfère que l'on prenne notre temps. Je crois qu'un jour, tout rentrera dans l'ordre. Donne-toi du temps.

Nous nous étreignons très fort, tout en nous embrassant passionnément. C'est très étrange. Nous avons parlé de Marc et déjà, il n'est plus dans nos pensées. Je suis capable de me laisser aller plus facilement.

Je ressens toujours cette peur et ce dégoût envers mon corps, mais j'arrive à mieux l'assumer. Je crois qu'avec l'aide de Lilas, j'arriverai un jour à m'aimer complètement, telle que je suis.

Épilogue

Fil de soi

LILAS m'a remis un dépliant concernant un organisme d'aide aux victimes d'agressions sexuelles de notre région. Évelyne s'est instantanément réconciliée avec ma psychologue. Toutefois, Lilas n'essaie pas de me convaincre de dénoncer Marc. Elle considère simplement que des intervenants spécialisés dans ce type de cas pourront mieux m'aider qu'elle. Elle m'a proposé que l'on appelle ensemble afin de voir ce que ces gens peuvent faire pour moi.

– Je peux continuer de t'aider, a-t-elle spécifié. Je ne te laisse pas tomber!

Évelyne s'emballe un peu trop, mais j'ai décidé de tenter l'expérience. P-A est d'accord. Il a même suggéré de m'accompagner. Il est gentil, mais je préfère faire les démarches toute seule. Je me suis contenté de sourire en le remerciant.

J'ai vite jeté les dépliants, mais j'ai appris l'adresse de leur site Web par cœur. Je le consulte à l'école sur un ordinateur dans le coin de la salle. Ainsi, lorsque je vois apparaître un enseignant ou un ami, je n'ai qu'à fermer la page Web.

Le site est très intéressant. On y dit entre autres qu'une fille sur trois a déjà vécu ou vivra une agression sexuelle ! C'est incroyable ! J'ai regardé toutes les filles qu'il y avait dans le laboratoire des ordinateurs et, en comptant, j'ai réalisé que selon la statistique, nous serions trois victimes uniquement dans ce local. Et je n'imagine pas le nombre dans toute l'école !

Dans notre groupe, il a fallu que ce soit moi, la victime… Ce constat me met en colère. Toutefois, le fait que je ne sois pas toute seule dans ma situation m'aide à me sentir mieux, même si je trouve aberrant qu'encore à notre époque, les femmes soient victimes de tels actes.

J'ai également appris que les rencontres peuvent se faire à l'école et que le secrétariat motivera mon absence. Il n'y a donc aucun problème concernant mes parents. Ils n'en sauront rien.

P-A aimerait comprendre comment je me sens. J'essaie de lui expliquer du mieux que je le peux, mais c'est difficile, puisque parfois, moi-même je ne le sais pas. Ensemble, nous apprivoisons mes réactions. Lilas m'a suggéré de me concentrer sur ce que je ressens lorsque mon amoureux me touche. Nous tentons quelques expériences et nous avons retrouvé notre complicité. Pour le moment, c'est tout ce qui compte.

Pour la suite, on verra.

Ressources

Si tu as été victime d'une agression sexuelle ou si tu côtoies quelqu'un qui l'a été, voici des organismes qui peuvent t'apporter le soutien nécessaire pour t'aider.

Ligne-ressource sans frais pour les victimes d'agressions sexuelles
Partout au Québec : 1 888 933-9007
Région de Montréal : 514 933-9007
www.justice.gouv.qc.ca
Ce site te permet de trouver les ressources d'aide dans ta région.

Tel-jeune :
Partout au Québec : 1 800 263-2266
Région de Montréal : 514 288-2266
www.teljeunes.com
www.agressionsexuelle.com
www.aimersansviolence.com
Il est possible d'envoyer tes questions par courriel.

Jeunesse j'écoute :
Partout au Canada : 1 800 688-6868
www.jeunesse.sympatico.ca
Il est possible d'envoyer tes questions par courriel.

Fondation canadienne Espoir jeunesse :
Partout au Canada : 1 877 650-9943
aide@fcej.org
www.fcej.org

Tu peux aussi appeler un des Centres d'aide et de lutte contre les agressions à caractère sexuel (C.A.L.A.C.S.) du Québec ou un organisme qui travaille avec les gens qui ont subi une agression sexuelle. Tu trouveras leurs numéros de téléphone dans les premières pages de ton bottin téléphonique ou via ce site Web :
www.rqcalacs.qc.ca

Table

Collection « Ado »

1. *Le Secret d'Anca*, roman, Michel Lavoie. Palmarès de la Livromanie 1997.
2. *La Maison douleur et autres histoires de peur*, nouvelles réunies par Claude Bolduc, avec Alain Bergeron, Joël Champetier, Michel Lavoie, Francine Pelletier et Daniel Sernine.
3. *La Clairière Bouchard*, roman, Claude Bolduc.
4. *Béquilles noires et flamants roses*, roman, Micheline Gauvin. Épuisé.
5. *La Mission Einstein*, nouvelles, Sophie Martin et Annie Millette. Prix littéraire jeunesse Vents d'Ouest 1996. Épuisé.
6. *Vendredi, 18 heures…*, roman, Michel Lavoie.
7. *Le Maître des goules*, roman, Claude Bolduc.
8. *Le Poids du colis*, roman, Christian Martin.
9. *La Fille d'Arianne*, roman, Michel Lavoie. Palmarès de la Livromanie 1998.
10. *Masques*, nouvelles, Marie-Ève Lacasse. Prix littéraire jeunesse Vents d'Ouest 1997; Prix littéraire *Le Droit* 1998.
11. *La Lettre d'Anca*, roman, Michel Lavoie.
12. *Ah! aimer…*, nouvelles réunies par Michel Lavoie, avec Claude Bolduc, Marie-Andrée Clermont, Dominique Giroux, Robert Soulières.
14. *La Liberté des loups*, roman, Richard Blaimert. Prix Cécile Gagnon 1998.
15. *Toujours plus haut*, roman, Louis Gosselin.
16. *Le Destin d'Arianne*, roman, Michel Lavoie.
17. *Amélie et la brume*, roman, Jacques Plante.
18. *Laurie*, roman, Danièle Simpson.
19. *Frayeurs d'Halloween*, roman, Anne Prud'homme. Prix littéraire jeunesse Vents d'Ouest 1998. Épuisé.

20. *Amitié, dites-vous?*, nouvelles réunies par Michel Lavoie, avec Francine Allard, Claude Bolduc et Linda Brousseau.
21. *Le Choix d'Anca*, roman, Michel Lavoie.
22. *Trafic au Mexique*, roman, Jacques Plante.
23. *Petites cruautés*, nouvelles réunies par Claude Bolduc, avec Michel Grenier, Sylvain Meunier, Jean Pettigrew et Guy Sirois.
24. *Deux petits ours au milieu de la tornade*, roman, Francine Allard. Épuisé.
25. *Tempête d'étoile et couleurs de lune*, roman, Louise-Michelle Sauriol.
26. *La Naissance de Marilou*, roman, Richard Blaimert. Épuisé.
27. *La Main de Sirconia*, roman, Claude Bolduc.
28. *Un amour en chair et en os*, roman, Sylvie André.
29. *Le Secret des brumes*, roman, Michel St-Denis. Prix littéraire de l'Abitibi-Témiscamingue 1999.
30. *Projet gicleurs*, roman, Michel Lavoie. Épuisé.
31. *Opération violoncelle*, roman, Micheline Gauvin. Épuisé.
32. *Péchés mignons*, nouvelles, Claude Bolduc.
33. *Mon père, ce salaud!*, roman, Francine Allard.
34. *Les Mémoires interdites*, roman, Ann Lamontagne. Palmarès Communication-Jeunesse des livres préférés des jeunes 2002.
35. *Dragon noir et fleurs de vie*, roman, Louise-Michelle Sauriol.
36. *L'Espion du 307*, roman, Louise-Michelle Sauriol.
37. *Sabaya*, roman, Ann Lamontagne. Palmarès Communication-Jeunesse des livres préférés des jeunes 2003.
38. *Évasions!*, nouvelles, sous la direction de Michel Lavoie. Prix littéraire jeunesse Outaouais 2001. Épuisé.

39. *Une nuit à dormir debout*, roman, Nadya Larouche. Palmarès Communication-Jeunesse des livres préférés des jeunes 2003.
40. *La Rage dans une cage*, roman, Michel Lavoie.
41. *La Nuit de tous les vampires*, roman, Sonia K. Laflamme.
42. *Le Défi*, nouvelles, sous la direction de Michel Lavoie. Prix littéraire jeunesse Québec 2002. Épuisé.
43. *La Cible humaine*, roman, Anne Prud'homme. Prix littéraire *Le Droit* 2003.
44. *Le Maître de tous les Maîtres*, roman, Claude Bolduc.
45. *Le Cri du silence*, roman, Francine Allard. Palmarès Communication-Jeunesse des livres préférés des jeunes 2004.
46. *Lettre à Frédéric*, roman, Michel Lavoie.
47. *Philippe avec un grand H*, roman, Guillaume Bourgault.
48. *Le Grand Jaguar*, roman, Sonia K. Laflamme.
49. *La Fille parfaite*, roman, Maryse Dubuc.
50. *Le Journal d'Arianne*, roman, Michel Lavoie.
51. *L'Air bête*, roman, Josée Pelletier. Palmarès Communication-Jeunesse des livres préférés des jeunes 2005.
52. *Le Parfum de la dame aux colliers*, roman, Louise-Michelle Sauriol.
53. *L'Amour !*, nouvelles, sous la direction de Michel Lavoie. Prix littéraire jeunesse Québec 2003. Épuisé.
54. *Coup de foudre et autres intempéries*, roman, Josée Pelletier.
55. *Sauve-moi*, roman, Nadya Larouche.
56. *Ma voisine est une vedette*, roman, Maryse Dubuc.
57. *Le Catnappeur*, roman, Sonia K. Laflamme.

58. *L'Enfant du lac Miroir*, roman, Louis Gosselin.
59. *L'Élixir du Trompe-l'œil*, roman, Anne Jutras.
60. *Mensonges!*, nouvelles, sous la direction de Michel Lavoie. Prix littéraire jeunesse Québec 2004. Épuisé.
61. *Un cœur en exil*, roman, Josée Pelletier.
62. *Virtuellement vôtre*, collectif, sous la direction de Marie-Andrée Clermont.
63. *La Prophétie de l'Ombre*, roman, Sonia K. Laflamme.
64. *Le Retour d'Anca*, roman, Michel Lavoie.
65. *Vert Avril*, roman, Maryse Dubuc.
66. *Le Souffle de l'étrange*, collectif, sous la direction de Marie-Andrée Clermont.
67. *L'Affaire Saint-Aubin*, roman, Sonia K. Laflamme.
68. *Chronique des enfants de la nébuleuse* I *: Le Château de Céans*, roman, Ann Lamontagne. Épuisé.
69. *Michèle sur le chemin de la lumière*, roman, Lorraine Pelletier.
70. *Entre ciel et terre*, roman, Michel Lavoie.
71. *Cauchemar aveugle*, roman, Fernande D. Lamy.
72. *L'Ombre de l'oubli*, roman, Anne Jutras.
73. *Bye-bye, les parents!*, collectif, sous la direction de Marie-Andrée Clermont.
74. *Cap-aux-Esprits*, roman, Hervé Gagnon.
75. *Là-haut sur la colline*, roman, Claude Bolduc.
76. *Chronique des enfants de la nébuleuse* II *: La Montagne aux illusions*, roman, Ann Lamontagne. Épuisé.
77. *Des vacances dans la tourmente*, roman, Josée Pelletier.
78. *Double croche sur fausse note*, roman, Nadya Larouche.
79. *Nuits d'épouvante*, collectif, sous la direction de Marie-Andrée Clermont.

80. *Pixels*, haïkus, sous la direction d'André Duhaime et Hélène Leclerc.
81. *Chronique des enfants de la nébuleuse III : L'Été de l'Aigle*, roman, Ann Lamontagne. Épuisé.
82. *La Deuxième Vie d'Anaïs*, roman, Sophie Rondeau.
83. *L'Amour bleu*, roman, Michel Lavoie.
84. *Chronique des enfants de la nébuleuse* IV : *La Traversée des ténèbres*, roman, Ann Lamontagne. Épuisé.
85. *Adrénaline*, haïkus, sous la direction d'André Duhaime et Hélène Leclerc.
86. *Cléo arrive au secondaire*, roman, Michel Lavoie.
87. *Slam poésie du Québec*, sous la direction de Pierre Cadieu.
88. *Héros du destin*, collectif, sous la direction de Marie-Andrée Clermont.
89. *Daphné, enfin libre*, roman, Sandra Dussault.
90. *Lili-la-Lune 1: Papillon de nuit*, roman, Amélie Bibeau.
91. *Vivre*, roman, Dominique Giroux.
92. *Cléo en deuxième secondaire*, roman, Michel Lavoie.
93. *Les Perce-Neige ne fanent jamais*, roman, Sabrina Poulin.

Réalisation des Éditions Vents d'Ouest (1993) inc.
Gatineau
Impression : Imprimerie Gauvin ltée
Gatineau

Achevé d'imprimer en septembre
deux mille onze

Imprimé au Canada